VÉGÉTARIENS...
MAIS PAS LÉGUMES!

**De nouvelles habitudes alimentaires
pour un monde en santé**

Distribution pour le Canada:

QUÉBEC·LIVRES
QUÉBECOR MEDIA

2185, autoroute des Laurentides
Laval (Québec) H7S 1Z6
Téléphone: (450) 687-1210
Télécopieur: (450) 687-1331

Patricia Tulasne COMÉDIENNE **et Anne-Marie Roy** DIÉTÉTISTE

VÉGÉTARIENS...
MAIS PAS LÉGUMES!

De nouvelles habitudes alimentaires
pour un monde en santé

Préface de
Frédéric Back

LES ÉDITIONS
PUBLISTAR
QUEBECOR MEDIA

LES ÉDITIONS PUBLISTAR
Une division des Éditions TVA inc.

7, chemin Bates
Outremont (Québec) H2V 4V7

Directrice des éditions:	Annie Tonneau
Direction artistique:	Benoît Sauriol
Révision:	Paul Lafrance, Corinne De Vailly, Valérie Quintal
Infographie:	Roger Des Roches – SÉRIFSANSÉRIF
Couverture:	Michel Denommée
Photo des auteures et de la couverture:	Georges Dutil
Coiffure:	Blitz (Laurier et Saint-Urbain)
Maquillage:	Marie-José Lopez
Panier en osier et ustensiles:	Maison d'Émilie
Assiettes:	Boutique Moutarde
Coussins:	Boutique Senteurs de Provence
Stylisme des vêtements:	Sylvie Desbois
Vêtements (Patricia Tulasne):	Isabelle Élie et Barbeau
Photos intérieures:	Guy Beaupré
Stylisme culinaire et coordination:	Louise Robitaille
Accessoires de cuisine et vaisselle:	Ares, Accessoires de cuisine

B·L·I·T·Z
COIFFURE

Nous reconnaissons l'aide financière du gouvernement du Canada par l'entremise du Programme d'aide au développement de l'industrie de l'édition (PADIÉ) pour nos activités d'édition.

Gouvernement du Québec — Programme de crédit d'impôt pour l'édition de livres — Gestion SODEC.

© Les Éditions TVA inc., 2003
Dépôt légal: premier trimestre 2003
Bibliothèque nationale du Québec
Bibliothèque nationale du Canada
ISBN: 2-89562-067-9

Choisir la vie

Frédéric Back

Jadis (sauf dans les zones nordiques), l'alimentation d'origine animale était relativement restreinte. Mais au cours des 50 dernières années, la révolution industrielle et l'élevage concentrationnaire ont changé les habitudes alimentaires. Utilisant technologies, médicaments et hormones, les producteurs rivalisent pour produire au plus bas prix cette chair qui est maintenant de tous les menus.

Il n'y a aucune morale dans ce système où la rentabilité est le seul critère considéré. La destruction d'une paysannerie écologique et durable, la terrible souffrance animale, la puanteur abominable, la pollution et la surexploitation de la nature, les conséquences sur la santé des consommateurs n'entrent pas en ligne de compte!

Il y a donc mille et une raisons pour devenir… pour être végétarien! On n'y parvient pas du jour au lendemain, car confrontés aux habitudes, à l'insensibilité, à la paresse ou à la dérision, il est difficile d'affirmer et de maintenir les convictions qui peu à peu se font jour en nous.

Mais les auteures de ce livre vous aideront à justifier votre conscience, à raffermir votre décision d'entrer dans cette part d'humanité qui sait voir au-delà du plaisir des sens. Il ne s'agit pas d'une religion, ni d'une privation aux dépens de votre santé, mais d'un examen loyal de raisons qui font une différence, au même titre que d'autres choix aux conséquences bénéfiques pour la vie des êtres peuplant notre planète.

Frédéric Back

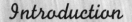

Introduction

Pourquoi écrire un livre sur le végétarisme?

Patricia Tulasne et Anne-Marie Roy

En ce début de XXIe siècle, le végétarisme, s'il est encore marginal, n'est plus synonyme de bizarrerie. De nombreux livres ont été écrits sur le sujet, de plus en plus de restaurants inscrivent des mets sans viande à leur menu, et la plupart des médecins traditionnels recommandent même à leurs patients de réduire leur consommation de gras animal. Mais, à table, laissez tomber le mot «tofu» dans la conversation, et vous verrez plus d'un convive faire la grimace! Pour beaucoup de gens, le végétarisme est encore associé à l'ennui, à la morosité et aux privations, comme si ne pas manger de viande était une forme de punition.

Si nous avons décidé d'écrire ce livre sur l'alimentation sans viande, ce n'est pas seulement pour ajouter nos voix à celles de tous ceux qui croient que la qualité de vie est intimement liée aux habitudes alimentaires. C'est aussi parce que, végétariennes depuis de nombreuses années, nous voulons partager avec vous nos évidences, nos certitudes et notre expérience de bien-être. C'est parce que nous voulons vaincre vos réticences et vos inquiétudes, qui sont celles que chacun éprouve face à l'inconnu. C'est aussi parce que nous voulons vous faire découvrir que la cuisine végétarienne n'est pas seulement une façon saine de se nourrir, mais que c'est aussi un grand moment de plaisir et de gourmandise!

L'élimination de certains produits de notre alimentation ne représente pas que des contraintes, elle nous permet aussi de réinventer notre façon de nous

9

nourrir. L'un des buts de ce livre, c'est de répondre à la question que se posent presque tous ceux qui hésitent à devenir végétariens: par quoi remplacer la viande? Vous vous rendrez très vite compte qu'il ne s'agit pas de remplacer la viande, mais de s'en passer, tout simplement! Et vous découvrirez de nouvelles saveurs, de nouvelles textures, une symphonie de couleurs, la satisfaction de savoir que ce que vous mangez est bon pour vous et pour l'avenir de la planète. C'est ce que nous appelons la maturité alimentaire.

Aujourd'hui, la notion de plaisir a une influence déterminante sur nos choix de société. Quand arrive la faim, trop de gens sont gouvernés seulement par la jouissance immédiate que l'aliment leur procure. Il faut apprendre à penser plus loin que sa langue. Devenons conscients qu'à chaque fois que nous mangeons un animal, il y a un prix à payer: pour notre santé d'abord, mais aussi pour l'environnement, et pour l'animal lui-même. Bien sûr, l'ignorance a quelque chose d'agréable. Il devient difficile de manger de la viande quand on sait, par exemple, comment sont traités les animaux de boucherie. La connaissance apporte la souffrance, mais elle donne aussi le pouvoir d'agir et de changer les choses. Beaucoup de gens ont cessé de fumer quand ils ont appris que le mal causé par la cigarette dépasse de loin le plaisir qu'on éprouve

à fumer. En devenant végétariennes, nous avons suivi le même raisonnement. Aujourd'hui, notre plaisir, c'est de nous faire du bien sans faire de mal, en mangeant des aliments sains, savoureux, respectueux de la vie et de notre planète.

Nous avons souvent l'impression que nous n'avons pas le choix d'avaler des additifs, des pesticides, des aliments génétiquement modifiés. Nous avons tendance à sous-estimer le pouvoir que nous détenons en tant que consommateurs. Imaginez ce qui arriverait si toute la population de la planète boycottait les *fast-food*, ou si nous décidions en bloc de soutenir les producteurs d'aliments biologiques! Dans le monde dans lequel nous vivons, faire son épicerie devient un acte politique. Manger, c'est voter!

Quand on demande aux gens s'ils ont peur de vieillir, ils répondent souvent: «Pas forcément, mais j'ai peur de la maladie.» L'alimentation végétarienne ne nous empêche pas de vieillir, mais elle nous permet de le faire en beauté et en santé. Dans les pays industrialisés, des sommes astronomiques sont investies dans la recherche médicale. À l'heure où l'on se plaint de la dégradation de notre système de santé et des coûts exorbitants qu'il engendre, ne vaudrait-il pas la peine d'essayer d'adopter des comportements responsables plutôt que d'avoir recours à des médicaments qui ne font que pallier nos mauvaises habitudes de vie?

L'écrivain américain Henri David Thoreau a dit: «Il faut que chacun de nous fasse quelque chose.» En écrivant ce livre, nous avons l'impression, en toute humilité, de faire notre part pour l'avenir du monde. Et tant mieux si nos voix réussissent à se faire entendre. Nous aurons alors l'impression que notre passage sur cette terre n'aura pas été totalement inutile.

Manger mes amis? Non, merci!

Patricia Tulasne

Au Moyen Âge, le patronyme des gens dérivait souvent du nom du métier qu'ils exerçaient. En consultant le dictionnaire étymologique des noms de famille, on apprend que mon nom, Tulasne, est à l'origine un dérivé direct de Tubœuf. On peut présumer qu'un de mes ancêtres, boucher de son état, aurait mérité ce sobriquet pour avoir vendu de la viande d'âne en la faisant passer pour du bœuf. On peut également se dire que si je suis aujourd'hui végétarienne, c'est peut-être pour expier les crimes que mon ancêtre boucher commettait contre les animaux… Car comment expliquer autrement que par la métaphysique le fait que j'aie, dès mon plus jeune âge, répugné à manger ce qu'on appelle communément de la viande et qui, pour moi, n'est ni plus ni moins que le cadavre d'êtres autrefois vivants?

En Occident, la majorité des gens trouvent inconcevable de manger du chat ou du chien. Par contre, on se nourrit sans aucun état d'âme d'agneau, de veau ou de porc, ce dernier étant, selon certaines études, bien plus intelligent et affectueux que le meilleur ami de l'homme. C'est parce que nous n'avons jamais appris à aimer les animaux de boucherie que nous les traitons comme du bétail, avec toute la cruauté à laquelle cette expression réfère quand nous l'appliquons aux humains. Si nous prenions le temps de connaître ces animaux, nous serions incapables de les manger. Comme dit si bien l'écrivain George Bernard Shaw: «Je ne mange pas mes amis.»

Enfant, je boudais le sempiternel merlan du vendredi et son œil accusateur, et je réclamais une «semelle de botte» quand ma mère nous cuisinait du steak. Nous n'étions pas riches, mais mes parents se faisaient un point d'honneur de nous servir de la viande presque à chaque repas. Et je rongeais mon frein en silence, en me disant qu'il devait bien y avoir une autre façon de s'alimenter. «Quand je serai grande, me disais-je, je serai végétarienne.»

Dans notre société, on ne naît pas végétarien, on ne peut que le devenir. Quand je me suis retrouvée pour la première fois chez moi, dans un appartement qui symbolisait pour moi toutes les libertés, j'ai décidé de transformer radicalement mon alimentation. Dans les années 80, on en savait moins sur le tofu qu'aujourd'hui! À force de manger des haricots verts en boîte, j'ai vite développé une sérieuse carence en fer. «Mangez du foie de veau», m'a conseillé le médecin que j'ai alors consulté.

Du foie de veau? Plutôt mourir! J'ai tout à coup eu la vision de ces rescapés d'un accident d'avion dans les Andes forcés de manger leurs semblables pour survivre. Il fallait que je trouve une autre solution. Celle-ci est venue au fil du temps grâce à des lectures, à des rencontres, à des échanges avec d'autres végétariens, considérés à l'époque comme des extraterrestres, mais qui étaient plutôt pour moi des terrestres

extra! J'ai découvert petit à petit les dessous de l'industrie agro-alimentaire et la réalité des conditions d'élevage – qu'on nous cache parce qu'elle est insoutenable –, et ces découvertes m'ont fourni un argument de poids en faveur du végétarisme. À une époque où nous militions encore pour le *peace and love*, où nous devenions membres d'Amnesty International par conviction, où nous luttions pour la non-violence et contre toute forme d'injustice, comment pouvions-nous tolérer la cruauté imposée dans la plus grande indifférence à des êtres vivants dont le seul défaut était de ne pouvoir exprimer à haute voix leur souffrance? Quand on apprend la vérité, devenir végétarien est une façon de s'en dissocier, de ne pas en être complice.

Aujourd'hui, au début du XXIe siècle, le monde est en train de changer. De plus en plus de philosophes conviennent que la différence entre l'homme et l'animal n'est pas une question d'espèce mais de degré, et que l'être humain a aussi des devoirs face à ceux qu'il a depuis toujours exploités de façon éhontée. Au moment où j'écris ces lignes, le Canada vient de se doter d'une loi stipulant que le fait de faire souffrir un animal est un crime. Cette loi s'appliquera tant aux animaux domestiques qu'aux animaux d'élevage, de travail ou de laboratoire. La Suisse, quant à elle, élabore un projet de loi visant à donner aux grands singes les mêmes droits qu'aux humains. Partout dans le monde, de nombreux médecins dénoncent l'expérimentation sur des animaux et se tournent vers d'autres méthodes de recherche. «La pitié étendue à l'ensemble des êtres, écrivait Théodore Monod, va devenir le véritable signe d'une civilisation digne de ce nom. Et ce sera dans la mesure où l'homme acceptera de la pratiquer et d'en exiger légalement l'exercice qu'il prouvera s'il est ou non capable de s'évader de la préhistoire.»

À 43 ans, il m'arrive encore de chercher un sens à ma vie. Je dois jongler avec bien des incertitudes, mais il y a un choix dont je suis sûre, une décision que j'ai prise il y a 20 ans et que je n'ai jamais regrettée: celle de devenir végétarienne. J'y ai trouvé bien des avantages. L'un d'eux, c'est que je fais partie des gens qui jouissent de la meilleure santé sur la planète. Mais ce qui me procure le plus de bonheur dans ce mode de vie, c'est que chaque soir, je peux me dire avant de m'endormir: «Aucun être vivant n'est mort pour moi aujourd'hui.»

Patricia Tulasne

Le point tournant

Anne-Marie Roy, diététiste-nutritionniste

Vous est-il déjà arrivé de lire un livre qui a changé votre vie? Moi, oui. Dans mon cas, il s'agit d'un ouvrage traitant du végétarisme qui s'intitule *Se nourrir sans faire souffrir*, de John Robbins. J'ai dévoré ce livre quelques mois après avoir obtenu mon diplôme en nutrition de l'Université Laval. Ce fut une révélation. Mes yeux se sont ouverts à une réalité qui, pour moi, était restée masquée jusque-là. J'ai compris pour la première fois qu'en mangeant de la viande, qui occupait à cette époque une place primordiale dans mon assiette, je faisais souffrir les animaux, l'environnement et ma santé. Soudain, j'ai pris conscience de la manipulation rusée de l'industrie en ce qui concerne la nourriture. Ce livre a changé ma façon de concevoir l'alimentation. Il m'a fait découvrir ma mission, ce pourquoi je travaillerais toute ma vie: la promotion d'une alimentation respectueuse et responsable.

À mon grand bonheur, cette prise de conscience s'est propagée à toute ma famille; on désire toujours ce qu'il y a de mieux pour les gens qu'on aime. Aujourd'hui, nos soupers rituels du dimanche se passent autour d'une table garnie de plats végétariens tous plus savoureux les uns que les autres. Ce livre que vous avez en main recèle d'ailleurs plusieurs de nos recettes secrètes préférées, qui vous mettront assurément l'eau à la bouche. Mon père dit toujours qu'il n'est pas végétarien par choix, mais parce qu'il a tellement de plaisir à manger la cuisine savoureuse que prépare ma mère. Et quand il laisse son orgueil d'homme

17

macho de côté, il avoue même parfois que la viande ne lui manque pas du tout.

Comme vous pouvez l'imaginer, je suis une des rares diététistes du Québec à promouvoir l'alimentation centrée sur les végétaux. Je vous avoue que je me sens parfois un peu seule de mon clan. Évidemment, mon discours est très différent de celui qui est prêché dans toute la province. Pourtant, malgré la résistance énorme que je rencontre, je persiste à relever le défi, car ma conviction est plus forte que tout. Ce livre est ma façon de crier l'urgence de dévoiler les faits qui vont à l'encontre des recommandations ancrées et propagées à des fins commerciales.

Ma passion pour le sujet m'a amenée à organiser trois congrès sur l'alimentation végétarienne et respectueuse, et à présenter des centaines de conférences. Ma pratique en bureau privé me donne l'occasion d'appliquer mes connaissances et me permet, grâce aux résultats que j'obtiens, de justifier et d'affirmer de plus en plus ma position. Même si je me rends compte que la prévention n'est pas rentable aux yeux des gens d'affaires, elle l'est drôlement sur le plan humain et sur celui du bien-être.

La nutrition, j'en mange! Je m'empiffre de tout ce qui en parle. Je déguste les articles de magazines et de journaux. Je dévore les livres sur l'alimentation saine et je savoure les reportages télévisés ou radiophoniques qui traitent de ce sujet. Tous les jours, de nouvelles informations nous sont transmises par les médias: on nous parle de la vache folle, de la fièvre aphteuse, des stimulants de croissance et des antibiotiques qui se retrouvent dans la viande, des OGM, des cas d'obésité qui se multiplient, de la résistance aux antibiotiques, de la puberté précoce des enfants, du diabète qui est en voie de devenir une épidémie, de la bactérie *E. coli* qui se trouve dans le steak haché, des poissons pollués, de la pollution créée par les porcheries, des hôpitaux débordés, des ravages que font les pesticides et les additifs sur les enfants… Quand on est une nutritionniste avertie, on se rend compte que toutes ces situations sont liées, de près ou de loin, à ce que nous mangeons. Devant l'accroissement des problèmes de santé et la détérioration de l'environnement, le végétarisme me permet de croire en un avenir meilleur. Je suis sincèrement convaincue qu'une grande partie de la solution à ces problèmes réside en chacun de nous et qu'au moins trois fois par jour, nous pouvons «agir» en faisant des choix alimentaires judicieux.

Comme l'a dit Saint-Exupéry, «nous n'héritons pas de la terre, nous l'empruntons à nos enfants». Lorsque j'étais plus jeune, mes parents m'ont appris à prendre grand soin de ce que j'empruntais aux autres. C'est ce principe que j'essaie d'appliquer le plus possible dans l'ensemble de ma vie. Le végétarisme est pour moi une façon de contester la surutilisation de nos précieuses ressources, l'exploitation des animaux et la détérioration de la santé humaine.

Anne-Marie Roy

Introduction au végétarisme

Patricia Tulasne

Le végétarisme existe depuis la nuit des temps. Tout au long du processus d'évolution de l'humanité, du Ramapithèque à l'*Homo sapiens,* les végétaux ont constitué pour l'homme la source principale de nourriture. Les études effectuées sur la dentition des hommes préhistoriques nous le confirment. Même quand les premiers hominidés ont introduit la viande dans leur alimentation, celle-ci n'a jamais excédé 35 % de leur régime alimentaire. Adam et Ève, dans le jardin d'Éden, étaient végétariens. On peut lire dans le Livre de la Genèse, qui daterait d'environ 3 500 ans, le verset suivant (premier chapitre, verset 29): «Je vous donne toute herbe portant de la semence et qui est à la surface de toute la terre, et tout arbre ayant en lui du fruit: ce sera votre nourriture.» Après avoir commis le péché originel, Adam est condamné à cultiver le sol et à manger son pain à la sueur de son front (Gen 3, v. 19). Ce n'est qu'après le Déluge que l'homme, consacré maître de l'univers, est autorisé à tuer pour se nourrir. Les deux premiers versets du chapitre 9 sont très clairs: «Soyez féconds, multipliez-vous et remplissez la terre. Soyez la crainte et l'effroi de tous les animaux de la terre. Tout ce qui se meut et possède la vie vous servira de nourriture, au même titre que la verdure des plantes.» Le christianisme a donc toujours considéré les animaux comme des êtres sans âme, à l'usage et au service de l'homme, que celui-ci pouvait exploiter à sa guise. Quelques personnalités isolées, comme

François d'Assise ou saint Hubert, le chasseur repenti, ont su manifester de la compassion pour les bêtes. Mais ce sont les grandes religions orientales, comme le taoïsme, le bouddhisme, le jaïnisme et l'hindouisme, qui ont fait de la non-violence et du respect de la vie le fondement de leur éthique. «Tu ne tueras aucun être vivant et tu ne feras de mal à aucun», enseigne Lao-Tseu, le père du taoïsme, à ses disciples, tandis que le premier des 10 préceptes de Bouddha est en effet d'éviter de détruire la vie.

Il s'est toujours trouvé, au cours des siècles, des philosophes, des écrivains et des scientifiques pour promouvoir le végétarisme, soit pour des raisons de santé, soit pour des raisons d'éthique. Chez les Grecs, Pythagore, Socrate et Platon recommandent un régime à base de végétaux et considèrent les sacrifices d'animaux comme «avilissants et peu nobles pour l'esprit humain.» Léonard de Vinci, né en 1452, est un végétarien convaincu: «Depuis mon plus jeune âge, écrit-il, j'ai renoncé à la viande, et viendra un jour où d'autres hommes tels que moi considéreront le meurtre des animaux comme ils considèrent aujourd'hui le meurtre des hommes.» John Harvey Kellogg (le père des Corn Flakes), Sylvester Graham (à qui l'on doit les biscuits du même nom), Henry David Thoreau, George Bernard Shaw, Gandhi, Tolstoï, Isaac Newton, Albert Einstein, Marguerite Yourcenar et, plus près de nous, le chanteur Paul McCartney, les sportifs Martina Navratilova et Carl Lewis, ainsi que l'actrice Kim Basinger ne sont que quelques-unes des personnalités célèbres qui ont adopté un régime végétarien. Au Québec, l'écrivain Yann Martel, les comédiens Jacques Godin, Joël Legendre et Michel Forget, le cinéaste oscarisé Frédéric Back et l'animatrice Julie Snyder sont des végétariens de longue date.

Le secret des Hunzas

Au nord du Pakistan, près de la frontière afghane, dans la vallée de Hunza, vit un peuple qui se distingue par une longévité hors du commun. Chez les Hunzas, il n'est pas rare de croiser des centenaires qui mènent encore une vie active. Leur secret? Un régime alimentaire à base de fruits, de noix, de légumes, de légumineuses et de céréales, auquel s'ajoutent les bienfaits de l'exercice physique.

D'autres peuples jouissent encore aujourd'hui d'une santé remarquable, qui puise son origine dans un régime sans viande: les habitants de l'île d'Okinawa, les Sherpas du Népal, les Indiens Otominis du centre du Mexique et les adventistes du septième jour, membres d'un ordre religieux répartis dans 182 pays, dont la santé exceptionnelle a attiré l'attention des chercheurs du monde entier.

Une alimentation respectueuse

Pourquoi devenir végétarien aujourd'hui? En l'an 2000, on recensait 4 % de végétariens en Europe et en Amérique du Nord, près de 50 % en Inde, et ces chiffres sont en constante progression. De plus en plus de gens aux prises avec des problèmes de santé que la médecine traditionnelle est souvent impuissante à soigner se tournent vers le régime végétarien ou cherchent à diminuer leur consommation de viande. D'autres s'inquiètent du sort réservé aux animaux de boucherie. Depuis le milieu du XXe siècle, de nouvelles préoccupations ont vu le jour: les problèmes environnementaux dus à l'industrialisation ont fait du végétarisme un espoir pour l'avenir. Qu'on se sente interpellé par l'enjeu de la santé, par celui de l'éthique ou par celui de l'environnement, ou même par les trois, le végétarisme représente une solution de rechange aux problèmes que posent les habitudes alimentaires contemporaines. Il intéresse ceux et celles qui recherchent un nouveau mode de vie plus sain, plus conscient, plus responsable, et qui, pour cela, veulent adopter une alimentation respectueuse de la vie sous toutes ses formes.

Herbivore ou carnivore?

L'homme serait-il un végétarien qui s'ignore? De nombreuses études comparatives tendent à prouver que, même s'il est capable de s'habituer à un régime omnivore, l'être humain est mieux adapté, sur les plans anatomique et physiologique, à une diète végétale.

La dentition

L'être humain possède les plus petites canines de toutes les espèces animales. En outre, à l'instar des herbivores, il a des molaires plates et développées, propices à la mastication. Enfin, sa mâchoire bouge autant de haut en bas que de droite à gauche, contrairement à celle des carnivores.

La salive

Les carnivores ont une salive au pH acide qui leur permet de digérer les protéines carnées. La salive de l'homme est alcaline, comme celle des herbivores, et contient en outre des enzymes amorçant la digestion des amidons qui ne se trouvent que dans les aliments d'origine végétale.

Les intestins

Les carnivores ont un appareil digestif très court. Cela leur permet de digérer rapidement la viande, qui intoxiquerait l'animal si elle se décomposait dans son organisme. Les herbivores ont au contraire un tube digestif très long adapté à la digestion des végétaux, qui ne se putréfient pas dans l'organisme et ne libèrent pas de toxines. L'homme a un intestin plus long que celui des carnivores, mais moins long que celui des herbivores. C'est pourquoi il peut manger de la viande, mais cela risque de l'intoxiquer, en particulier s'il souffre de constipation ou a un transit lent. Les toxines libérées (cadavérine, indole et scatole, entre autres) peuvent provoquer des migraines, des allergies, des éruptions cutanées et beaucoup d'autres symptômes.

Le foie

Le foie des carnivores contient une enzyme (l'uricase) dont le rôle est de neutraliser l'acide urique contenu dans la viande. Chez l'être humain, cette enzyme est de 10 à 15 fois moins puissante.

Les trois catégories de végétarisme

Au risque de décevoir plusieurs personnes, nous sommes formelles: les poissons et les volailles sont des animaux! Ils sont donc totalement exclus d'un régime sans viande. Mais rassurez-vous: avec un peu d'imagination, les possibilités gastronomiques sont infinies! Il y a en fait trois catégories de régimes végétariens.

Régime ovo-lacto-végétarien

L'alimentation ovo-lacto-végétarienne comprend, comme son nom l'indique, les œufs, les produits laitiers et les végétaux: céréales, fruits, légumes, légumineuses, tubercules. C'est le régime le plus populaire chez les végétariens débutants. Il est recommandé de limiter la consommation d'œufs à trois par semaine et de choisir des produits laitiers écrémés.

Boycottez les élevages de poules en batterie! Si vous mangez des œufs, assurez-vous qu'ils proviennent de poules élevées en liberté.

Régime lacto-végétarien

Il n'inclut que les produits laitiers pour tout aliment d'origine animale.

Saviez-vous que la présure (qui contient une enzyme utilisée dans la fabrication des fromages) est une substance extraite de l'estomac des veaux? Si vous êtes végétarien pour des raisons éthiques et que vous mangez du fromage, assurez-vous qu'il ne contient pas de présure, ou qu'il est fait avec de la présure végétale.

Le régime végétalien

C'est le régime végétarien pur. Il se compose uniquement d'aliments d'origine végétale. Ce mode d'alimentation donne les meilleurs résultats dans la prévention et le traitement des maladies chroniques comme les maladies coronariennes, le cancer et l'arthrite, notamment.

Bibliographie

La Bible

LEAKEY Richard et LEWIN Roger, *Ceux du lac Turkana, l'humanité et ses origines*, éd. Seghers.

DE FONTENAY Élisabeth, *Le silence des bêtes*, éd. Fayard

MONOD Théodore, *Et si l'aventure humaine devait échouer*, éd. Grasset.

CONZE Edward, *Le bouddhisme*, éd. Payot.

JOLICŒUR Marjolaine, *Végétarisme et non-violence*, éd. Le Commensal.

PAMPLONA Roger D[r], *Croquez la vie*, éd. Vie et santé.

LAURIN Solange, *La santé autrement dit*, Les éditions TVA.

Chapitre 1

Le végétarisme pour la santé

Dans ce chapitre

Le végétarisme pour avoir du cœur

Le végétarisme pour échapper au cancer

Le végétarisme pour la santé des os

Le végétarisme pour ne manquer de rien

Le mythe des protéines

Le végétarisme pour les femmes…
et les hommes

Le végétarisme pour perdre du poids

Le végétarisme pour avoir du cœur

Anne-Marie Roy, diététiste-nutritionniste

Dans cette section

Les grands responsables des maladies cardiaques
Beurre ou margarine? Y a-t-il d'autres choix?
Les honorables sauveurs
Les maladies cardiaques: réversibles ou non?

Mourir avant son heure

Les maladies cardiaques sont la première cause de décès en Amérique du Nord. Pourtant, si on mourait tous d'une maladie cardiaque à 95 ans, on n'y attacherait guère d'importance. Ce qui est inquiétant, c'est que ces maladies surviennent de plus en plus tôt dans la vie des gens. Aujourd'hui, on en meurt beaucoup trop jeune, avant même d'être à la retraite, alors qu'on a encore de jeunes enfants à la maison et d'importantes responsabilités à assumer. Mais le pire, c'est quand on n'en meurt pas… Lorsqu'on subit un accident vasculaire cérébral (AVC) par exemple, on peut rester paralysé, souffrir de troubles sérieux de mémoire et d'élocution: voilà une bien mauvaise façon de finir ses jours!

Fait encore plus troublant, on prévoit que les préadolescents d'aujourd'hui pourraient avoir des problèmes cardiaques dès l'âge de 35 ans. Actuellement, on constate que les maladies cardiaques commencent vers 45 ans chez les hommes et vers 55 ans chez les femmes. Si elles se produisent plus tôt, on considère qu'elles sont précoces. Mais selon le docteur Alain Vanasse, professeur à la faculté de médecine de l'Université de Sherbrooke, ce qui est considéré précoce aujourd'hui risque de se généraliser dans une génération.

Des accidents qui en disent long

Des autopsies d'hommes âgés de 30 à 34 ans morts dans des accidents de voiture ont révélé que 20 % d'entre eux avaient des artères bloquées par des plaques, causes des infarctus et des AVC.

Des chercheurs ont étudié les artères coronaires de 760 personnes et ont constaté que celles de tout jeunes hommes (15 ans à peine pour certains) et de femmes de 30 à 34 ans étaient déjà bloquées[1]. «Nous devons nous assurer que nos enfants consomment des aliments sains, qu'ils bougent et se tiennent loin de la cigarette», dit le Dr Arthur Zeiske, qui a participé à cette recherche.

Une étude effectuée sur le cœur d'adolescents morts de façon accidentelle a démontré qu'un jeune sur six souffrait d'au moins un blocage coronarien significatif, selon un rapport de *The American Heart Association Scientific Sessions* publié le 9 novembre 1999. (E. Murat Tuxcu, M.D., Cleveland Clinic)

On creuse nous-mêmes notre tombe

On sait que 80 % des problèmes cardiaques sont causés par notre style de vie. Cela veut dire qu'on risque beaucoup moins d'en souffrir si on adopte des habitudes plus saines. En dehors de certaines maladies héréditaires particulières, la plupart des maladies cardiaques pourraient très bien être évitées si on changeait le contenu de notre assiette et notre style de vie (plus d'exercices et de repos, abandon du tabagisme…). Mais quels sont donc, sur le plan alimentaire, les grands responsables des maladies cardiaques, et les honorables sauveurs qui nous évitent de les développer?

Les coupables

1. Le cholestérol

Si vous pouviez acheter en magasin un pot de cholestérol, ça ressemblerait drôlement à de la cire. Le cholestérol est l'un des constituants des plaques qui obstruent nos vaisseaux sanguins. Notre corps produit du cholestérol parce qu'il en a besoin pour assurer ses propres fonctions physiologiques. Étant donné que la nature est bien faite, il en fabrique exactement la quantité dont il a besoin. Le problème, c'est qu'en plus, nous en absorbons des quantités appréciables!

> Le cholestérol (produit par le corps) est une substance essentielle à la vie; le cholestérol alimentaire, lui, ne l'est pas.

Quoi qu'on en dise, de nombreuses études menées au cours des dernières décennies ont démontré que le taux de cholestérol est directement lié à l'apparition des maladies cardiaques. On sait maintenant que pour chaque augmentation de 1 % du taux de cholestérol sanguin, le risque de souffrir de maladies cardiaques augmente de 2 %[2].

Cholestérol chez les enfants

«Plus du tiers des enfants – de l'âge de deux ans jusqu'à l'adolescence – ont un taux de cholestérol trop élevé. Chez la majorité d'entre eux, le problème n'est jamais dépisté, car la plupart des gens ne sont pas conscients du danger potentiel que l'hypercholestérolémie infantile représente.»

Marc S. Jacobson, MD, pédiatre de New York et membre du Comité de nutrition de l'Académie américaine de pédiatrie (*Vegetarian Times*, août 2002, page 15)

Une assurance anti-infarctus

Une étude très documentée a été menée en 1949, à Farminham, sous la direction du Dr William Castelli. Selon les conclusions de cette étude, il existe un taux de cholestérol sous lequel il est pratiquement impossible d'avoir un infarctus. «En 35 ans, à Farminham, il n'y a eu aucun cas d'infarctus chez des gens ayant un taux de cholestérol de moins de 4 mmol/dl», a déclaré le Dr Castelli[3].

«Les trois quarts des gens qui vivent sur la planète n'ont jamais d'infarctus. Ils vivent en Asie, en Afrique ou en Amérique du Sud, et leur taux de cholestérol se situe aux alentours de 4 mmol/dl.»

À titre d'information, un Québécois sur deux a un taux de cholestérol supérieur à la norme de 5,2 mmol/dl – qui, selon certains spécialistes, est encore trop élevée.

Pourtant, on n'est pas obligé d'entrer au monastère pour avoir un taux de cholestérol de 4 mmol/dl! Il suffit de se nourrir de tous les beaux végétaux qui nous sont offerts sur cette planète. Et ce n'est pas le choix qui manque!

Le cholestérol dans les aliments

Le cholestérol est produit par les humains et par les animaux: seuls les végétaux, qui n'ont pas de foie, n'en génèrent pas. Le tableau à la page suivante indique les quantités de cholestérol contenues dans plusieurs aliments malheureusement d'usage commun.

Remarquez que:
• Ce n'est pas parce qu'une viande est moins grasse qu'elle contient moins de cholestérol: celui-ci se loge tout autant dans les parties plus maigres d'un animal que dans les parties plus grasses. Ainsi, le bœuf, le poulet et la dinde contiennent à peu près la même quantité de cholestérol.
• Les poissons et les fruits de mer peuvent renfermer des quantités très importantes de cholestérol.
• Les œufs et les abats remportent la palme: ce sont les aliments qui recèlent la plus grande quantité de cholestérol.

Contenu en cholestérol (pour 100 g)

Bœuf (surlonge)	95 mg	Thon	63 mg
Foie de bœuf	488 mg	Maquereau	95 mg
Cervelle de bœuf	2020 mg	Crabe	100 mg
Rognons de bœuf	392 mg	Crevettes	196 mg
Porc	90 mg	Homard	200 mg
Agneau	70 mg	Palourdes	68 mg
Poulet (sans peau)	87 mg	Huîtres	100 mg
Poulet (avec peau)	98 mg	Sardines	143 mg
Dinde	82 mg	Caviar	595 mg
Lait	21 à 39 mg	Œuf	550 mg
Crème glacée (125 ml)	35 mg	Beurre	37 mg
Fromage	106 mg	**VÉGÉTAUX**	**0 mg**
Aiglefin	60 mg		

Les aliments sains, sans modération!

Certains articles récents portant sur les œufs expliquent qu'on a beaucoup exagéré le danger que représente cet aliment pour la santé. On y dit que, dans le fond, l'œuf est tout à fait inoffensif, que c'est même un aliment très nutritif qui doit faire partie d'une saine alimentation. Par contre, à la fin de ces articles, on mentionne fréquemment que les gens présentant des risques de souffrir de maladies cardiaques devraient limiter à trois par semaine leur consommation d'œufs. Si cet aliment et ses semblables (fromage, beurre, bœuf…) étaient si bons pour la santé, pourquoi devraient-ils faire l'objet de recommandations particulières? Êtes-vous déjà sorti de chez votre médecin muni d'une ordonnance vous conseillant de restreindre votre consommation de brocoli, d'oranges, de gruau ou de salade, de n'en manger qu'une demi-tasse par jour, pas plus de trois fois par semaine? Lorsque les aliments sont vraiment sains, qu'ils n'ont pas été transformés, ils ne font l'objet d'aucune restriction!

Pour notre part, nous préférons ne pas nous nourrir d'aliments que les personnes souffrant de tel ou tel problème de santé doivent manger en quantité modérée. Et vous?

Œufs et cholestérol sanguin

Les études commandées par l'industrie ovicole qui ne montrent aucune augmentation significative du cholestérol sanguin à la suite de la consommation d'œufs avaient pour sujets des gens dont l'alimentation était déjà riche en cholestérol. Quand une personne mange de 400 à 800 mg de cholestérol par jour, comme le font beaucoup de

Nord-Américains, l'absorption d'une quantité additionnelle de cholestérol n'a que peu d'effet sur son taux de cholestérol sanguin[2-4].

Par contre, lorsqu'on choisit pour sujets des gens ayant une alimentation plus faible en cholestérol et qu'on leur fait manger un œuf par jour, leur cholestérol sanguin augmente de 12 %[5]. Plusieurs autres études indépendantes ont mis en lumière l'effet néfaste des œufs sur le cholestérol sanguin[6-7-8].

2. Les gras saturés

Vous avez sûrement remarqué, en lisant la valeur nutritionnelle des aliments inscrite sur les étiquettes, qu'il existe trois types de gras: les saturés, les monoinsaturés et les polyinsaturés. De ces trois, seul le gras saturé entraîne l'augmentation du cholestérol sanguin et l'apparition des maladies cardiaques. Comme vous pourrez le constater en vous référant au tableau qui suit, le gras saturé est surtout présent dans les aliments de source animale, à quelques exceptions près.

Quelle proportion de gras est saturée?

Aliments riches en gras saturé (> 30 %)	Saturé	Polyinsaturé	Monoinsaturé
Animaux:			
produits laitiers	**62 %**	4 %	29 %
gras de bœuf	**52 %**	4 %	44 %
gras de porc	**41 %**	12 %	47 %
gras de volaille	**31 %**	22 %	47 %
œuf	**31 %**	14 %	38 %
gras de saumon du Pacifique	**32 %**	31 % (30 % oméga-3)	37 %
Huiles tropicales:			
Huile de coco	**92 %**	2 %	6 %
Huile de palme	**51 %**	10 %	39 %
Aliments faibles en gras saturé (<20%)	Saturé	Polyinsaturé	Monoinsaturé
Huiles végétales:			
Huile de lin	**9 %**	71 % (54 % oméga-3)	20 %
Huile de canola	**6 %**	36% (10 % oméga-3)	58 %
Huile de maïs	**13 %**	63 %	25 %
Huile d'olive	**14 %**	9 %	77 %
Huile d'arachide	**18 %**	34 %	48 %
Huile de carthame	**9 %**	78 %	13 %
Huile de sésame	**15 %**	41 %	46 %
Huile de soya	**15 %**	61 %	24 %
Huile de tournesol	**11 %**	69 %	20 %

Sources: Pennington JAT. *Bowes and Church's Food Values of Portions Commonly Used. 16th Edition, Philadelphia, J.B. Lippincott, 1994. – US Department of Agriculture,* Agriculture Handbooks n° 8 – Vesanto Melina dt.p., Victoria Harrison dt.p., Brenda Davis dt.p. *Devenir végétarien*

Le gras, rassembleur de globules

Quelques heures après qu'une personne a mangé un repas riche en gras (surtout saturé), ses globules rouges s'agglutinent, rendant graduellement son sang plus visqueux et moins apte à circuler. À mesure que le flot sanguin diminue, les caillots formés par les globules obstruent les vaisseaux, et les organes reçoivent de moins en moins d'oxygène et de nutriments. Les caillots peuvent bloquer les petits vaisseaux et provoquer des spasmes. Cela entraîne la constriction des vaisseaux sanguins dans certaines régions précises et risque de provoquer plusieurs problèmes, dont:

- angine et infarctus (surtout en présence d'athérosclérose);
- difficultés à marcher (claudication);
- accidents vasculaires cérébraux (si athérosclérose) ou blocage temporaire appelé «attaque ischémique transitoire» ou sénilité;
- fatigue, diminution de l'endurance, réduction de la performance au travail;
- diminution de l'audition, acouphènes, vertiges;
- moins bon fonctionnement des poumons et des reins (insuffisance rénale);
- impuissance, diminution des performances sexuelles;
- mort subite.

> On reconnaît un gras saturé par sa consistence solide à température ambiante. Le beurre ou le lard demeurent solide à température ambiante alors que l'huile est liquide.

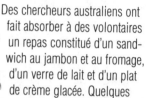

Un seul repas gras peut nuire à votre cœur

Des chercheurs australiens ont fait absorber à des volontaires un repas constitué d'un sandwich au jambon et au fromage, d'un verre de lait et d'un plat de crème glacée. Quelques heures plus tard, le taux de cholestérol sanguin des participants avait augmenté, et les chercheurs ont remarqué une réduction de 25 % de l'élasticité de leurs artères. Ce sont là deux importants facteurs de risque d'infarctus. Ce repas contenait 50 g de gras, c'est-à-dire moins qu'un repas typique de *fast food*, comme un burger au poulet accompagné de frites.

NESTEL, PJ, SHIGE, H, POMEROY, S, CEHUN, M, CHIN-DUSTING, J: «Post-prandial Remnant Lipids Impair Arterial Compliance». *J Am Coll Cardiol*, 37, 2001, p. 1929-1935.

3. Le gros méchant gras hydrogéné

Le gras hydrogéné est une sorte de gras que vous ne connaissez peut-être pas, mais si vous commencez à lire les étiquettes des aliments qui se trouvent dans les supermarchés, vous verrez qu'il y en a un peu partout. Ce type de gras n'existe pas dans la nature. Il est produit et transformé par les laboratoires de l'industrie alimentaire. Dans la nature, les huiles végétales sont liquides à température ambiante: l'hydrogénation les solidifie pour en faire de la margarine, du shortening…

33

Un cadeau pour l'industrie

Lorsque l'huile est solide, elle se tartine bien (comme la margarine), elle se conserve plus longtemps et elle est plus facile à manipuler, ce qui se traduit par d'énormes économies pour l'industrie alimentaire, tout en facilitant le travail de celle-ci.

Un désastre pour notre santé

Mais pour ce qui est des conséquences sur notre santé, le tableau est beaucoup moins rose! Ces nouvelles molécules de gras nous prédisposent beaucoup plus que les autres aux maladies cardiaques. Une étude réalisée à l'Université Harvard et publiée dans le *New England Journal of Medecine* a démontré que la consommation de gras hydrogéné accroît de 33 % les risques de maladies cardiaques. Le gras hydrogéné rend le sang plus visqueux et provoque à la fois l'augmentation du taux de «mauvais transporteur» de cholestérol (LDL) et la diminution du taux de «bon transporteur» de cholestérol (HDL).

Non seulement ce gras imposteur ne remplit pas ses fonctions dans l'organisme, mais il empêche de plus les autres acides gras essentiels de jouer convenablement leur rôle. Une huile qui a été hydrogénée change de configuration chimique; ses molécules s'appellent alors des acides gras *trans*. Or, plusieurs études ont démontré que ces acides gras *trans* créent un terrain propice à l'apparition des cancers (du sein, de la prostate…) et affaiblissent les défenses immunitaires de l'organisme.

> Les experts ont refusé d'établir une limite supérieure quant à la quantité d'acides gras *trans* qu'on peut consommer chaque jour de façon sécuritaire. Ils recommandent de consommer le moins possible d'acides gras *trans*.

Bonne lecture!

Gardez l'œil ouvert et évitez le plus possible d'absorber des gras de ce type. Rappelez-vous que le shortening utilisé dans les pâtes à tarte et autres desserts est un gras hydrogéné. Bien souvent, l'huile de friture dans laquelle on cuit les chips, les frites et autres aliments frits est hydrogénée. Soyez attentif à la composition de votre beurre d'arachide, de vos craquelins, de vos biscuits, de votre pain et de tout autre produit préparé. Vous serez surpris! Croyez-le ou non, on trouve très souvent de cet affreux gras dans les biscuits pour bébés. De toute évidence, les sociétés se préoccupent souvent davantage de la santé de leur portefeuille que de celle des consommateurs.

Appel au boycott

Nous devons, en tant que consommateurs, cesser d'encourager les industries qui utilisent des gras hydrogénés. Nous devons les boycotter. Il nous faut être solidaires, tenir à nos convictions. C'est seulement à ce moment-là que ces sociétés n'auront d'autre choix que d'apporter des changements à leurs recettes, sous peine de devoir fermer leurs portes. En attendant, je vous propose de faire un tour dans les magasins d'aliments naturels ou dans les sections consacrées aux produits naturels des marchés plus avant-gardistes. Amusez-vous à comparer la qualité de leurs ingrédients par rapport à celle des produits offerts dans les supermarchés traditionnels. Ce sont des gras de meilleure qualité (huile d'olive, de tournesol, de carthame) qui figurent sur les listes d'ingrédients. Je vous accorde que le prix de ces aliments est un peu plus élevé, mais on peut apprendre à profiter davantage des rabais. Je vous garantis que si vous mangez plus sainement, même si quelques-uns des produits que vous achetez coûtent plus cher, le coût total de votre épicerie diminuera par rapport au coup d'une épicerie traditionnelle, sans compter les économies additionnelles que vous ferez en matière de soins médicaux!

La margarine, meilleure que le beurre?

Pourquoi se lancer dans ce débat alors que ni l'un ni l'autre n'est un choix intéressant! La margarine est bien souvent hydrogénée, et le beurre contient du gras saturé. Se poser cette question, c'est comme se demander s'il est plus dangereux de conduire en état d'ébriété ou sous l'effet d'une drogue!

> Le beurre ne devient pas un meilleur aliment parce que la margarine n'est pas aussi saine qu'on le pensait…

Voici des solutions alléchantes et saines pour remplacer la margarine ou le beurre que nous avons la mauvaise habitude de mettre sur le pain:

- Avocat ou guacamole
- Huile aromatisée (aux herbes, à l'ail…)
- Moutarde fine (à l'érable, aux framboises…)
- Beurre de noix (arachide, amande, cajou, noisette) pour le pain du matin
- Hummus ou babaganouch (tartinade d'aubergines)
- Tartinade de piment rouge et d'aubergine (ajvar), vendue dans les magasins d'aliments naturels
- Végépâté (voir recette p. 212)
- Cretons aux lentilles
- Tartinade de carottes
- Tapenade (tartinade d'olives noires)
- Pesto (sans fromage)…

35

4. Homocystéine

Au cours des 10 dernières années, une panoplie d'études ont établi un lien entre l'homocystéine et l'apparition des maladies cardiaques. Selon plusieurs professionnels de la santé, cet acide aminé peu connu, qui se trouve dans le sang, deviendra un critère aussi populaire que le cholestérol pour prédire le risque que court un individu de souffrir de maladies cardiovasculaires. S'il y a trop d'homocystéine dans le sang, la paroi interne des vaisseaux sanguins s'endommage, ce qui provoque la formation de plaques athéromateuses et le blocage des artères. L'homocystéine favorise aussi l'oxydation du cholestérol, c'est-à-dire sa réaction à l'oxygène, ce qui le rend beaucoup plus dommageable pour les artères.

> De 10 à 20 % des maladies cardiaques seraient associées à un taux élevé d'homocystéine sanguin.
>
> Pour chaque augmentation de 10 % du taux d'homocystéine sanguin, il y a une augmentation équivalente des risques de maladies cardiaques.

Ce qui élève le taux d'homocystéine

Dans son livre *The Homocysteine Revolution*, le D^r McCully confirme que l'augmentation du taux d'homocystéine est causée par:

- une déficience en vitamines du groupe B (B$_6$, B$_{12}$ et acide folique):
  - les personnes qui mangent peu de légumes verts et qui consomment beaucoup d'aliments raffinés présentent un risque particulièrement élevé d'avoir une carence en acide folique et en vitamine B$_6$;
  - les végétaliens doivent s'assurer de consommer suffisamment de vitamine B$_{12}$ (levure Red Star, produits enrichis ou suppléments);
- un surplus de protéines animales: car celles-ci présentent une concentration deux fois plus élevée de méthionine (un acide aminé) que les protéines végétales.

Des chercheurs ont constaté qu'après une semaine seulement de diète végétalienne (combinée à de l'exercice ainsi qu'à l'arrêt de la consommation de tabac, de café et d'alcool), les participants à une étude avaient vu leur taux d'homocystéine diminuer de 13 %. Les gens atteints de maladie cardiaque ayant un taux d'homocystéine élevé sont ceux qui ont obtenu les meilleurs résultats: ils ont connu une amélioration de plus de 20 %[9].

Pour prévenir les maladies cardiaques, il n'est donc pas suffisant de choisir des morceaux de viande plus maigres ou moins riches en cholestérol. En effet, on constate que le gras saturé et le cholestérol contenus dans les aliments de source animale ne sont pas les seuls incriminés: la forte teneur en protéines animales de ces aliments est aussi en cause.

> «*Un régime pauvre en viande et riche en fruits, en légumes et en grains entiers réduit le taux d'homocystéine. Il prévient également les maladies cardiaques, en plus de présenter d'autres avantages pour la santé*», affirme le D^r McCully.

5. Le fer hémique

Il existe deux sortes de fer dans les aliments: le fer hémique et le fer non hémique. Le premier est présent uniquеment dans les muscles des animaux, alors que le second provient des végétaux. Le fer a très bonne réputation. On lui attribue des effets bénéfiques sur la santé, sans s'imaginer qu'il peut également jouer un rôle un peu moins positif dans notre organisme. Pourtant, le fer hémique qui provient des animaux provoque l'oxydation du cholestérol (réaction à l'oxygène). Une fois oxydé, le cholestérol endommage les vaisseaux sanguins et entraîne l'athérosclérose (le blocage des artères). Le côté un peu noir du fer contenu dans les viandes est peu connu, puisque la publicité faite par les producteurs ne vante que les mérites du fer animal.

Les sauveurs du coeur

1. Les fibres

Manger de 30 à 40 grammes de fibres par jour contribue à réduire le risque de souffrir d'une maladie cardiovasculaire. Ce sont particulièrement les fibres solubles présentes dans les fruits et les légumes (pectine), les noix, les céréales (avoine, sarrasin...) et les légumineuses qui ont démontré leur capacité à abaisser le taux de cholestérol. Dans l'intestin, les fibres solubles se lient au cholestérol et aux acides biliaires (produits par le foie) et empêchent leur absorption dans le sang. Selon une étude menée en 1992, on peut obtenir une diminution du cholestérol de 15 %[10] en ajoutant 15 grammes de fibres à son alimentation quotidienne. Bien que les animaux mangent une quantité importante de fibres, tous les produits de source animale en sont totalement dépourvue. Encore un élément en faveur des végétaux...

2. Les antioxydants

Si vous avez déjà fait des tartes aux pommes, vous avez sûrement remarqué que les quartiers de pommes ne brunissent pas lorsqu'on les enduit de jus de citron. Cela s'explique facilement: la vitamine C contenue dans le citron est un antioxydant qui empêche la pomme de réagir à l'oxygène et de s'oxyder. Le même phénomène se produit dans votre sang. Quand vous mangez des aliments riches en antioxydants tels que les vitamines C et E, le bêta-carotène ou le sélénium, ceux-ci bloquent la réaction du cholestérol à l'oxygène, protégeant ainsi vos artères des dommages du cholestérol oxydé. Il existe des centaines d'antioxydants, qui sont présents en abondance surtout dans les fruits et les légumes. Les viandes et les produits laitiers, en revanche, n'en contiennent pratiquement aucun.

3. Le soya

Selon les conclusions d'une recherche qui a compilé les résultats de 38 études cliniques et qui a été publiée dans le *New England Journal of Medecine*, la consommation de protéines de soya (substituées aux protéines animales) occasionne une réduction de 13 % du cholestérol LDL (mauvais transporteur). Une autre étude dont on a pu lire les résultats dans *Diététique en action* a même révélé que, si on remplace les protéines animales par des protéines de soya dans l'alimentation de gens atteints d'hypercholestérolémie, la quantité de LDL contenue dans le sang des sujets peut chuter jusqu'à 38 %. Le mécanisme d'action est semblable à celui des fibres: dans l'intestin, le soya se lie aux acides biliaires (substances produites par le foie et composées de cholestérol) et entrave

leur absorption dans le sang. Une partie des acides biliaires étant éliminées, le foie, pour en produire de nouveau, doit utiliser le cholestérol sanguin, ce qui fait diminuer la cholestérolémie.

4. Les gras oméga-3

Les gras oméga-3 jouent un rôle crucial dans la prévention des maladies cardiaques en protégeant le cœur et les artères et en empêchant la formation de caillots. Ils sont dorénavant les grandes vedettes de l'univers de la cardiologie! Selon certaines études, l'ajout d'une source de gras oméga-3 dans l'alimentation est aussi efficace que la prise de médicaments pour faire baisser le cholestérol, et ce, sans effets secondaires! Les meilleures sources de gras oméga-3 sont les graines de lin, l'huile de canola, de noix ou de chanvre, les noix de Grenoble et les graines de citrouille. Certains poissons contiennent également des gras oméga-3, à condition qu'ils soient sauvages et non issus de la pisciculture. Mais ça, comment le savoir? De toute façon, il est préférable de choisir des sources végétales de gras oméga-3 afin d'éviter le cholestérol, les protéines animales et les toxines contenues dans les poissons.

**Alors qu'est-ce qui est le plus efficace
pour se protéger des maladies cardiaques?
Manger des végétaux ou des aliments d'origine animale?**

Facteurs prédisposants	**Animaux ou végétaux?**
Cholestérol alimentaire	Produits animaux
Gras saturé	Produits animaux + huile de palme et de coco
Protéines animales	Produits animaux
Fer hémique	Produits animaux
Gras hydrogéné	Végétaux modifiés par l'industrie

Facteurs protecteurs	
Antioxydants	Végétaux
Fibres solubles	Végétaux
Soya	Végétaux
Acide folique	Végétaux
Gras oméga-3	Végétaux + certains poissons
Vitamine B_6	Végétaux + viande

Les maladies cardiaques: réversibles ou non?

L'éveil à la maturité alimentaire peut se produire à différents moments de la vie. Il arrive qu'on se rende compte un peu tard de l'importance de nos choix alimentaires et que certains dommages soient déjà faits. Est-il alors trop tard? Heureusement, non. Le blocage des artères est réversible, et ce, peu importe votre âge. Cette bonne nouvelle a été annoncée par un cardiologue diplômé de Harvard, Dean Ornish, qui a eu l'idée géniale de vérifier si le blocage des artères (l'athérosclérose) était réversible. Publiée le 21 juillet 1990 dans un journal médical de très grande réputation, *The Lancet Journal*, son étude a permis de révolutionner la cardiologie.

Les résultats des conseils alimentaires conventionnels

Le Dr Dean Ornish a séparé en deux groupes des patients dont les vaisseaux sanguins étaient très obstrués par des plaques de gras.

Le groupe contrôle suivait les conseils conventionnels d'un médecin: éviter le tabac, manger de la viande rouge en quantité modérée et privilégier le poulet et le poisson. Après un an, quand on a mesuré à nouveau le blocage de leurs artères par angiographie, le problème avait empiré. C'est regrettable, mais il faut constater que cette diète ne réussit pas à renverser la maladie cardiaque. Elle est simplement trop riche en gras saturés et en cholestérol.

Résultats d'une diète à 26 % de gras et 250 mg de cholestérol

Diète standard pour lutter contre les maladies cardiaques

Après 4 ans:
- diminution de 6 % du cholestérol sanguin
- diminution de 6 % du cholestérol LDL (mauvais)

Résultats de l'angiographie:
- dans 6 % des cas: régression de la maladie
- dans 15 % des cas: pas de changement
- **dans 79 % des cas: progression de la maladie**

Les résultats d'une diète végétarienne

Les autres patients du Dr Ornish ont reçu des prescriptions très différentes. Ils devaient suivre une diète très pauvre en gras et sans viande, faire de la marche et pratiquer des techniques de relaxation. Après un an, on a observé non

seulement que le problème n'avait pas progressé, mais que, chez 82 % des sujets, une régression des plaques s'était produite. Ces résultats ont été obtenus sans chirurgie ni médicament.

Résultats d'une diète à 10 % de gras et 5 mg de cholestérol

Diète végétarienne (comme celle du Dr Ornish)

Après **un an**:
- diminution de 24 % du cholestérol sanguin
- diminution de 37 % du cholestérol LDL (mauvais)

Résultats de l'angiographie
- **dans 82 % des cas: régression de la maladie**
- dans 14 % des cas: aucun changement
- dans 4 % des cas: progression de la maladie

Vaisseaux sanguins bloqués à plus de 50 %:
- augmentation de 23 % du flux sanguin (23 % plus d'espace dans les vaisseaux pour permettre la circulation du sang)

Depuis, plusieurs études ont démontré clairement que le blocage des artères pouvait être réversible. Mais pour que cela se produise, il est nécessaire d'éliminer les facteurs qui causent la maladie.

Une diète végétarienne pauvre en gras est la seule façon d'éliminer le cholestérol, le gras animal (saturé) et les protéines animales, et d'augmenter les fibres solubles et les vitamines antioxydantes.

Diète ou chirurgie?

Il y a des années, les médecins croyaient qu'il était impossible de régler les problèmes cardiaques sans chirurgie. On sait maintenant que la fourchette et le couteau sont plus efficaces que le scalpel.

Regardons ensemble ce qu'il en coûte pour passer sous le bistouri.

Le prix à payer pour une chirurgie cardiaque (pontage):

- Beaucoup d'argent (plusieurs milliers de dollars par chirurgie, payés indirectement par vos impôts).
- Beaucoup de douleur.
- Des séquelles parfois déplaisantes. Plus du tiers des patients subissent une diminution de leurs facultés mentales qui dure plusieurs années. Une étude dont les résultats ont été publiés dans le *New England Journal of Medicine* a permis de constater une diminution de 20 % des capacités mentales chez 53 % des personnes ayant subi un pontage. On pense que ce phénomène serait à cause de tous les petits caillots qui se forment au cerveau lorsque la pompe cœur-poumons se met en marche et oxygène le sang durant l'opération.

En fait, un pontage ne résout le problème que très localement (aux artères du cœur), sans s'attaquer aux dommages subis par le reste du corps (le cerveau, les jambes…), contrairement à ce qui se produit lorsqu'on adopte une alimentation végétarienne faible en gras. De plus, si les personnes opérées ne changent pas leurs habitudes alimentaires après la chirurgie, leurs problèmes reviennent au galop.

À Montréal, à l'heure actuelle, malgré les résultats révélateurs obtenus par le Dr Ornish, seule une poignée de cardiologues s'inspirent de la méthode qu'il a utilisée. Pourtant, leurs résultats sont impressionnants. Depuis quelques années, j'offre mes conseils et mon soutien à mes clients qui désirent appliquer ces principes pour vaincre leurs problèmes cardiaques: vous seriez surpris de voir la fierté, le plaisir et le bien-être qu'ils en tirent.

Résumé

Comment prévenir les maladies cardiaques?

- Diminuer la quantité de gras et de protéines ingérée:
  - Objectif: sur le total des calories consommées, de 15 à 20 % doi-

41

vent provenir des gras et de 10 à 15 %, des protéines.

- Améliorer la qualité du gras que l'on consomme en favorisant les gras végétaux:
    - éviter ou éliminer le gras saturé;
    - éviter ou éliminer le cholestérol alimentaire;
    - éviter ou éliminer le gras hydrogéné (gras végétal durci).
- Consommer une des sources suivantes de gras essentiel oméga-3 tous les jours:
    - 1 ou 2 c. à soupe de graines de lin moulues (le meilleur choix);
    - 1 1/2 c. à soupe d'huile de canola, de noix ou de chanvre;
    - 3 c. à soupe de graines de citrouille ou de noix de Grenoble.
- Inclure régulièrement des sources de soya dans votre menu:
    - tofu (régulier ou soyeux), produits de soya (ex.: Yves Veggie Cuisine), boisson de soya, protéines de soya texturisées, farine de soya, noix de soya, tempeh…
- Augmenter votre apport en fibres alimentaires (surtout solubles):
    - céréales (avoine, orge, sarrasin, seigle, quinoa, psyllium…); légumineuses; fruits et légumes.
- Augmenter votre consommation d'antioxydants (bêta-carotène, vitamines C et E, sélénium…), présents en abondance dans les légumes et les fruits.
- Augmenter votre apport en lécithine de source végétale (soya, chou, chou-fleur, légumineuses et avocat).
- Réduire votre consommation de café, qui hausse le taux de cholestérol et d'homocystéine.

Bibliographie

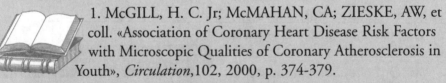

1. McGILL, H. C. Jr; McMAHAN, CA; ZIESKE, AW, et coll. «Association of Coronary Heart Disease Risk Factors with Microscopic Qualities of Coronary Atherosclerosis in Youth», *Circulation*,102, 2000, p. 374-379.

2. LIEBMAN, B., «Poor Design Undercuts Cholesterol Study Results (Letter)», *American Journal of Clinical Nutrition*, 35, 1982, p. 1041.

3. CASTELLI, W.P. « Epidemiology of Coronary Heart Disease», *Am J Medicine*, 76(2A), 1984, p. 4-12.

4. CONNOR, W., «Reply to Letter by Oster (letter)», *American Journal of Clinical Nutrition*, 36, 1982, p. 1261.

5. SACKS, F., «Ingestion of Egg Raises Plasma LDL in Free-Living Subjects», *The Lancet Journal*, 1, 1984, p. 647.

6. ROBERTS, S., «Does Eggs Feeding Affect Plasma Cholesterol Levels in Humans? The Results of a Double-blind Study», *American Journal of Clinical Nutrition*, 34, 1981, p. 2092.

7. MATTSON, F., «Effect of Dietary Cholesterol on Serum Cholesterol in Man», *American Journal of Clinical Nutrition*, 25, 1972, p. 589.

8. O'BRIEN, B., «Human Plasma Lipid Responses to Red Meat, Poultry, Fish, and Eggs», *American Journal of Clinical Nutrition*, 33, 1983, p. 2573.

9. DEROSE, DJ; CHARLES-MARCEL, ZL; JAMISON, JM, et coll. «Vegan Diet-based Lifestyle Program Rapidly Lowers Homocysteine Levels», *Prev Med*, 30, 2000, p. 225-33.

10. HASKELL, W.L.; SPHILLER, Gaa, et coll. «Role of Water-soluble Dietary Fiber in the Managment of Eleveted Plasma Cholesterol in Healthy Subjects», *Am J Cardiol*, 69(5), 15 fév. 1992, p. 433-439.

Le végétarisme pour échapper au cancer

Anne-Marie Roy, diététiste-nutritionniste

Dans cette section
L'importance de la prévention
Comprendre le cancer
Les facteurs qui prédisposent au cancer
Ce qui nous protège du cancer

On parle fréquemment du cancer comme d'une maladie très mystérieuse et imprévisible; on en a très peur, puisque aucun traitement ne garantit la guérison. On s'imagine être impuissant face à ce mauvais sort. On croit que la seule chose à faire, c'est prier pour y échapper. Pourtant, le cancer n'est pas si mystérieux. On commence à connaître une très grande partie de ses secrets. On sait que nos mauvaises habitudes de vie et les substances chimiques développées par l'être humain au cours des dernières décennies ont un lien direct avec l'augmentation de l'incidence du cancer.

Traiter ou prévenir le cancer

Il y a de fortes chances que l'argent reçu par les sociétés de lutte contre le cancer soit investi dans la recherche pour trouver un médicament afin de guérir la maladie ou d'en soulager les symptômes. C'est très louable, mais si nous investissions autant dans la prévention du cancer ou dans l'éducation relative à la maladie, on obtiendrait sans aucun doute des résultats plus intéressants. Il vaut toujours mieux éviter l'apparition du cancer que d'attendre d'en être atteint pour le traiter. Le National Cancer Institute des États-Unis estime que 80 % des cas de cancer peuvent être prévenus si l'on apporte à son mode de vie des changements aussi simples que limiter son exposition au soleil, cesser de fumer et surveiller son alimentation. On évalue que de 35 à 60 % des décès dus au cancer sont attribuables, en réalité, à de mauvaises habitudes alimentaires[1]. Sans aucun doute, la nutrition, en raison du rôle crucial qu'elle joue dans la prévention du cancer, devra devenir une priorité pour notre société si nous voulons arrêter la rapide progression de cette maladie ou même la faire régresser.

Prévention ou dépistage

Demandez aux femmes ce qu'elles font pour prévenir le cancer du sein, par exemple: très souvent, elles vous répondront qu'elles vont régulièrement chez le médecin pour subir une mammographie. Cet examen médical n'est ni plus ni moins que du dépistage. Il sert à déterminer s'il y a un début de cancer, mais il ne constitue absolument pas un geste de prévention! La mammographie est utile pour détecter un cancer et entreprendre rapidement un traitement. Ce n'est pas une façon d'éviter la maladie.

> **Attention, les examens de dépistage du cancer ne font pas partie de la prévention de la maladie.**
>
> **La prévention est actuellement l'option la moins populaire, puisqu'elle demande une prise en charge de chacun des individus et une certaine discipline.**

Cancer et génétique

Quand émigrer devient dangereux

Il est connu que le cancer est peu fréquent chez les Japonais, exception faite du cancer de l'estomac et de l'œsophage. Les gens qui ont de mauvaises habitudes alimentaires aiment croire que les Japonais sont «immunisés» génétiquement contre la plupart des cancers. Si c'était le cas, pourquoi ceux qui émigrent vers d'autres pays n'emportent-ils pas avec eux ce merveilleux bagage génétique? Des études épidémiologiques* montrent que les Japonais qui déménagent à Hawaii (État américain) ont tendance, après quelques années, à souffrir des mêmes cancers que les Caucasiens qui

* Études épidémiologiques: études qui comparent les changements d'habitudes de vie et les maladies qui y sont associées.

45

y vivent depuis longtemps (voir le tableau au bas de la présente page).

Parallèlement, on a constaté que les Japonais émigrés à Hawaii avaient eu tendance à adopter les mauvaises habitudes de leurs nouveaux concitoyens. Ils avaient doublé leur apport en gras, mangé moins de glucides naturels tout en augmentant leur consommation de sucres raffinés (sucre blanc…) et s'étaient mis à consommer du beurre, de la margarine, du fromage. Ils avaient également réduit de façon marquée leur consommation traditionnelle de riz et de tofu, pour faire plus de place à la viande.

Heureusement pour eux, leur migration n'a pas eu que des effets négatifs sur leur santé. Une fois installés à Hawaii, ils ont diminué leur consommation de légumes salés, marinés et séchés et de poissons salés, ce qui a contribué à diminuer leur incidence de cancer de l'estomac et de l'œsophage.

On a pu tirer des conclusions éloquentes de ces études épidémiologiques: les conditions environnementales dans lesquelles on est plongé, la façon dont on vit et mange ont plus d'influence sur la probabilité qu'on souffre de cancer que nos prédispositions génétiques.

Comprendre le cancer pour mieux y échapper*

Les cellules saines vivent côte à côte, en rangées ordonnées, comme de bonnes voisines; elles ne se multiplient que si des cellules contiguës meurent. Malheureusement, les cellules cancéreuses

* *Tiré du site du D*r *John McDougall:* www.drmcdougall.com/science/cancer.html

Taux de mortalité annuel de cancer pour les immigrants japonais *(pour 100 000)*

Type de cancer	Japonais		Caucasiens
	Au Japon	*À Hawaii*	*À Hawaii*
Côlon	78	371	368
Rectum	95	297	204
Prostate	14	154	343
Sein	335	1221	1869
Utérus	32	407	714
Ovaire	51	160	274
Poumon	237	379	962
Estomac	1331	397	217
Œsophage	150	46	75

n'ont pas cette politesse; elles se divisent sans aucun respect pour les cellules adjacentes. Elles s'entassent les unes sur les autres, créant des amas qui deviennent de plus en plus gros. C'est ce qu'on appelle une tumeur.

Une cellule normale se transforme en cellule cancéreuse quand elle est attaquée par des substances toxiques (radicaux libres) qui proviennent de l'alimentation ou de l'environnement. La cellule ainsi endommagée se divise en deux. Chacune de ces deux cellules se divise à nouveau en deux; il y a maintenant quatre cellules, et ainsi de suite. Après un an ou plus, l'amas de cellules atypiques peut former un cancer. Ce petit nid de cellules se cache quelque part dans le corps; il faudrait toute une vie à un pathologiste pour le trouver. Le dédoublement des cellules continue. Après six ans, l'amas cancéreux atteint environ un million de cellules, mais ne mesure pas plus d'un millimètre de diamètre. À cette étape, ni une radiographie, ni une mammographie, ni un scanner, ni une palpation minutieuse ne peuvent le détecter.

À ce point de son évolution, la tumeur miniature grandit dans les tissus du côlon, du sein, de la prostate, du poumon… Elle peut se rompre et se séparer en parties, dont l'une risque de quitter l'amas initial pour s'insinuer dans les vaisseaux sanguins et se déplacer vers une autre partie du corps. Ce genre de rupture survient dans 90 % des cas. Arrivées dans leurs nouveaux quartiers, les cellules s'installent, et une tumeur s'établit à la nouvelle adresse. Ce processus d'éparpillement s'appelle métastase.

Après environ dix ans, la première tumeur atteint la grosseur d'une bille et peut être détectée par nos techniques actuelles. Elle compte maintenant environ un milliard de cellules.

Une fois que l'on connaît la façon dont les tumeurs se propagent et les faibles probabilités de réussir à les éradiquer complètement, la notion de prévention acquiert une importance capitale. Elle devient la seule façon de réduire l'incidence du cancer dans la population.

En adoptant une alimentation opposée à celle qui provoque le cancer, il est probable que même une personne déjà atteinte voie la propagation de la tumeur ralentir et son espérance de vie rallonger. L'expression «Ne pas jeter d'huile sur le feu» prend ici tout son sens…

Faire la guerre au cancer

La lutte au cancer peut se comparer à une guerre. Des ennemis attaquent notre corps tous les jours, mais il existe des soldats pour nous défendre. Si les ennemis sont plus nombreux que nos soldats, on risque fort de perdre la guerre. Notre seule chance de gagner notre

47

lutte contre le cancer est de disposer d'un gros régiment de soldats et d'avoir des connaissances stratégiques qui nous permettent de démasquer les ennemis et de les éviter.

Évidemment, un cancer ne se développe pas à cause d'un seul aliment ou d'une seule mauvaise habitude; c'est l'ensemble de tous les ennemis qui est en cause. Une simple cigarette ne vous fera pas mourir demain matin, mais l'effet cumulatif de plusieurs années de tabagisme vous prédisposera au cancer.

> Rien n'est mortel en soi.
> C'est l'accumulation
> de petites doses inoffensives
> de toxines
> qui mène vers le cancer.

Voici donc la liste des ennemis alimentaires et des soldats:

Les ennemis

1. Les radicaux libres attaquent

Les radicaux libres, voilà un terme qu'on voit et qu'on entend souvent dans des articles ou des conférences qui traitent de santé. On les accuse d'être les grands responsables du vieillissement et d'à peu près toutes les maladies dégénératives, dont le cancer. On entend donc parler de ces agents dévastateurs, mais rares sont ceux qui comprennent vraiment comment ils agissent.

Les molécules de notre corps sont toujours composées de paires d'électrons qui gravitent autour d'un noyau cellulaire. Les électrons sont un peu comme les êtres humains, ils cherchent toujours à s'accoupler pour former un duo, un couple stable.

Les radicaux libres, eux, sont des molécules dotées d'un électron célibataire qui cherche désespérément à s'accoupler avec un autre électron. Les radicaux libres n'ont pas de bonnes manières, car ils n'hésitent pas à voler l'électron d'une autre molécule bien accouplée et en amour. Les radicaux libres briseront donc sans pitié un beau petit couple. La nouvelle molécule au cœur brisé, devenue célibataire sans le vouloir, ira courtiser l'électron de son voisin, et ainsi de suite. C'est le début d'une pagaille sans fin.

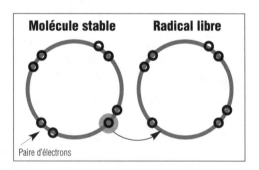

Molécule stable — Radical libre

Paire d'électrons

> Chaque jour, le corps fait face
> à environ 10 000 attaques
> de radicaux libres qui peuvent
> à la longue endommager les tissus
> et causer des maladies cardiaques,
> le diabète et plusieurs formes
> de cancer (du sein,
> de la prostate…).

D'où proviennent les radicaux libres?

Facteurs alimentaires:	Facteurs non alimentaires:
Aliments gras et oxydés	Pollution, radiation
Viandes très cuites ou grillées	Pesticides dans l'environnement
Pesticides dans les aliments	Tabac, certains médicaments
Additifs chimiques…	Métabolisme normal du corps, maladies…

2. Le gras

La mauvaise réputation du gras n'est plus à faire; il existe de plus en plus d'arguments contre lui. Les aliments riches en gras ne font pas seulement grimper l'incidence des maladies cardiovasculaires, ils sont aussi très mauvais en ce qui concerne le cancer. La prochaine fois qu'on vous dira de «couper dans le gras», rappelez-vous que c'est pour votre bien, puisqu'une alimentation trop généreuse en gras, autant végétal qu'animal, hausse l'incidence de

cancer liés à la digestion (côlon, rectum…), aux hormones sexuelles (sein, utérus, prostate…) et à la peau[1].

Gras et acides biliaires

Des acides biliaires sont produits dans notre corps et libérés par la bile pour aider à la digestion des gras. Plus on mange gras, plus le corps produit d'acides biliaires. Une fois dans l'intestin, les acides biliaires, sous l'effet des bactéries, se décomposent, produisant des composés carcinogènes irritants. Plus ces composés restent longtemps en contact avec la paroi de l'intestin, plus les risques de dommages s'accroissent. Une alimentation végétarienne est généralement moins riche en gras et plus riche en fibres, ce qui permet de réduire la production d'acides biliaires et d'accélérer la vitesse de passage des toxines dans l'intestin, réduisant ainsi leur durée de contact avec celui-ci.

Gras oxydé et cancer

Les aliments riches en gras, particulièrement en gras polyinsaturés (voir section sur le cœur pour plus de détails), sont très sensibles à l'oxydation, c'est-à-dire au contact avec l'oxygène, et peuvent entraîner l'apparition des cancers. L'oxydation des gras d'un aliment se produit lorsque celui-ci a été conservé longtemps au contact de l'air et à la température ambiante ou cuit à haute température.

Règles d'entreposage et de cuisson

On accorde beaucoup d'importance à la qualité des aliments qu'on achète, mais on oublie souvent que les méthodes de conservation et de cuisson sont, elles aussi, capitales. Il faut s'assurer que les aliments, choisis avec soin, ne deviennent pas des bombes à toxines dans nos armoires. La plupart des huiles et des noix écalées ou concassées, les farines moulues sur pierre, le gruau, le germe de blé et tous les autres aliments qui contiennent des gras susceptibles de s'oxyder doivent être conservés au froid (réfrigérateur ou congélateur), à l'abri de l'oxygène. Il faut savoir aussi que tous les bons gras ne sont pas faits pour être chauffés; les huiles polyinsaturées, en particulier, doivent être tenues très loin des sources de chaleur intense et directe. On doit se rappeler que les aliments ont des petits caprices qu'il faut respecter afin de préserver tous les bienfaits qu'ils peuvent nous apporter.

Gras et système immunitaire

Une consommation importante de gras diminue l'activité de certaines cellules importantes du système immunitaire, ce qui rend notre corps plus vulnérable au cancer. Cet effet a été longuement étudié en rapport avec le cancer du sein et pourrait se vérifier également avec d'autres types de cancer[2].

Gras et cancers hormono-dépendants

Le terme parle de lui-même: les cancers liés aux organes sexuels ont besoin des hormones pour se développer. Plus il y a d'hormones dans le corps, plus les cancers hormono-dépendants (seins, utérus, ovaires, prostate…) croissent. On sait aujourd'hui que plus on mange de gras ou de viande engraissée aux hormones, ou encore plus on a de réserves de gras corporel, plus il y a d'hormones qui circulent dans notre corps et plus on risque de souffrir d'un cancer hormono-dépendant.

Gras et cancer de la prostate

Un régime riche en gras augmente le niveau de testostérone, une hormone masculine. Le cancer de la prostate est plus fréquent chez les hommes qui ont un taux élevé de testostérone. Une étude a noté que les hommes dont l'alimentation était riche en gras et pauvre en fibres avaient un taux de testostérone de 13 à 15 % plus élevé que ceux dont l'alimentation était pauvre en gras et riche en fibres[3].

Gras et cancer du sein

Une étude française a révélé que les femmes qui mangent le plus de gras augmentent de 60 % leur risque d'être atteintes de cancer du sein. Quand l'analyse mettait en évidence la quantité de gras saturé consommée par des femmes post-ménopausées, c'était encore pire: elles triplaient ainsi leur probabilité de souffrir d'un cancer du sein[4].

3. L'alcool

Plus de 50 études sérieuses ont clairement établi que la consommation de boissons alcooliques augmentait l'incidence de cancer[5], particulièrement en ce qui concerne les cancers de la gorge, de la bouche, de l'œsophage, du foie, du sein et du rectum[6-7].

Cancer du sein

Saviez-vous que le cancer du sein est celui qui cause le plus de décès chez les femmes non fumeuses? La consommation d'alcool, même modérée, augmente considérablement les risques de souffrir de ce type de cancer. Certaines études ont montré qu'aussi peu que trois verres d'alcool par semaine augmentent les risques de cancer du sein chez la femme[8], et ce, que l'alcool provienne de la bière, du vin ou des spiritueux. Les femmes qui pensaient que boire socialement en mangeant était plutôt favorable à leur santé devraient se le tenir pour dit!

Comment expliquer le lien entre alcool et cancer?

Comme on l'a vu précédemment, le cancer du sein est hormono-dépendant: il se nourrit d'hormones. On sait maintenant que l'alcool augmente le niveau d'œstrogènes (hormones) dans l'organisme, ce qui expliquerait une partie du rôle que joue l'alcool dans l'apparition du cancer du sein. En outre, l'alcool a tendance à réduire considérablement nos réserves de plusieurs vitamines du groupe B, dont l'acide folique, ainsi que nos réserves de sélénium. Ces deux éléments nutritifs sont des joueurs importants dans la prévention des cancers; il ne faut donc pas les sous-estimer.

Vin rouge et cancer

Les cathéchines sont peut-être les substances les plus importantes de la famille des polyphénols, qui réduisent les risques de cancer. On trouve des cathéchines dans le vin rouge, mais surtout dans une grande variété de fruits, de légumineuses et de céréales. Ainsi, il n'est absolument pas nécessaire de boire du vin pour réduire les risques de cancer. Au contraire, l'alcool est reconnu comme étant cancérigène; il représente 3 % des causes de cancer chez les Américains. (*American Journal of Clinical Nutrition*, n° 64, 1996, p. 748-756.)

---

4. La viande

Les toxines de cuisson des viandes

Si vous affectionnez particulièrement les viandes rôties ou cuites sur le BBQ,

51

prenez garde, car vous risquez davantage que les autres d'avoir un cancer. Les viandes grillées et très cuites sont de plus en plus montrées du doigt à cause de leur teneur importante en deux substances cancérigènes[9]:

• Les amines hétérocycliques (AH)

Lors de la cuisson et de la friture des viandes, il se forme des amines hétérocycliques (AH), des substances cancérigènes. Ce poison se forme autant, sinon plus, dans les viandes moins grasses que dans les autres: le poulet, par exemple, contient des quantités considérables d'amines hétérocycliques; il en contient en fait une concentration 15 fois supérieure à celle du bœuf.

• Les hydrocarbures aromatiques polycycliques (HAP)

Ils sont, quant à eux, des substances produites lors d'une combustion incomplète. Le benzopyrène et le pyrène sont deux des HAP cancérigènes. Les HAP cancérigènes contenus dans les aliments résultent en grande partie du processus de cuisson à haute température; ils proviennent surtout de la viande grillée, frite ou cuite sur le BBQ.

Deux livres de steak cuites sur le BBQ produisent une quantité de benzopyrène équivalente à celle créée par 600 cigarettes.

Viande et cancer du sein

Une étude menée en Uruguay a montré une relation entre la consommation de viande (particulièrement la viande rouge, le bœuf et les viandes frites) et le cancer du sein. Les produits chimiques formés pendant la cuisson semblaient constituer un facteur de risque majeur. L'Uruguay a un taux exceptionnellement élevé de cancer du sein; or, c'est un pays où on consomme de la viande en grande quantité. («Cancer Epidemiology», *Biomarkers and Prevention*, 6, août 1997, p. 573-581.)

La nourriture, plus grande source de HAP que la pollution

Selon les recherches d'Adolf Vyskocil, du département de santé environnementale et de santé au travail de la Faculté de médecine de l'Université de Montréal, il y aurait 40 fois plus d'hydrocarbures aromatiques polycycliques (HAP) dans les aliments que dans le sol. Une étude menée auprès d'une vingtaine d'enfants de deux garderies, l'une située près de l'autoroute 40, à Montréal, et l'autre en zone verte, montre que la différence de concentration de pyrène (un des composants des HAP) est surtout liée à la consommation de nourriture, et que cette source est nettement supérieure à la pollution[10].

Trop de fer dans la viande

Le fait que la viande contienne une quantité importante de fer était considéré, il n'y a pas si longtemps, comme une des grandes qualités de celle-ci. Cependant, de nouvelles découvertes ont été faites en nutrition, et les conséquences d'une trop grande consommation de fer commencent à inquiéter les scientifiques. En 1996, un article scientifique a résumé les problèmes associés à une grande consommation de fer en ce qui a trait au cancer[11]:

- entraîne la formation de composés appelés Radical Hydroxyl, qui peuvent endommager l'ADN;
- entraîne la suppression de l'activité de nos cellules de défense;
- entraîne la multiplication des cellules cancéreuses.

> **Les plantes contiennent une quantité appropriée de fer, pas une quantité excessive!**

5. Les pesticides

Bien que les scientifiques ne connaissent pas encore tous les effets négatifs des pesticides sur la santé humaine, plusieurs indications nous laissent soupçonner que certains pesticides ont des répercussions très importantes sur l'incidence des cancers. Des études ont démontré le lien qui existe entre les pesticides et les cancers du cerveau, des reins, des testicules, de la prostate, de la thyroïde et des intestins, sans oublier la leucémie et le lymphome non hodgkinien[12 à 19].

Pour nous rassurer, les compagnies de pesticides nous disent qu'elles exécutent des tests de toxicité avant de mettre un produit sur le marché. Admettons qu'on leur fasse confiance; il y a encore un gros hic! À l'impact individuel de chacun des pesticides, qui peut être testé directement en laboratoire, s'ajoute souvent un effet puissant de synergie par l'usage de multiples pesticides dans l'environnement. Dans les tests de toxicité des pesticides, on ne tient malheureusement pas compte de cet effet cumulé.

Pas de risque à courir

Quiconque désire limiter le plus possible les dommages faits à son corps doit s'assurer de consommer le moins possible de pesticides. Pour y arriver, il est nécessaire de boire de l'eau purifiée, de manger le plus possible de produits biologiques ou, du moins, de devenir végétarien. Le végétarisme est une des meilleures façons de réduire sa consommation de pesticides. Un animal mange toute sa vie des céréales arrosées de pesticides. Une partie de ces produits s'accumule dans la chair des bêtes; par conséquent, un morceau de viande est un concentré de pesticides. Lewis Regenstein, une autorité en matière de pesticides, a affirmé que la viande en contient 14 fois plus que les végétaux, et les produits laitiers, 4,5 fois plus.

Ce phénomène de bio-accumulation des pesticides s'intensifie au fil de la chaîne alimentaire. La figure qui suit nous démontre bien que ce sont les jeunes enfants qui souffrent le plus de l'industrialisation de l'agriculture.

Pourquoi les enfants? Parce qu'étant en période de croissance rapide, ils mangent quatre fois plus d'aliments que les adultes, proportionnellement à leur poids et à leur taille. Puisque l'on sait que les pesticides font encore plus de dommages chez un individu en période de croissance, on comprend que les enfants doivent le plus possible les éviter.

> Une alimentation végétarienne est toujours moins toxique qu'une alimentation omnivore comprenant des produits animaux, même si les végétaux ne sont pas biologiques.

6. Et les autres

Grâce à des recherches en nutrition, on a pu trouver d'autres facteurs s'ajoutant à la liste de ceux qui nous prédisposent au cancer, dont le sucre blanc, les protéines animales, le café, le grignotage ou le fait de manger plusieurs petits repas dans la journée, un apport excessif de calories, les produits laitiers, etc.

NIVEAU
ÉLEVÉ

Augmentation
de la concentration
en contaminants
environnementaux
liposolubles

BAS
NIVEAU

Pyramide alimentaire

Les soldats

Dame Nature a prévu tout ce qu'il fallait pour nous empêcher d'avoir le cancer. Toutes les plantes sont remplies d'éléments qui nous protègent des agents agressants: des fibres, des antioxydants, des éléments phytochimiques… Cependant, Dame Nature ne pouvait pas savoir que l'humain créerait toutes sortes de poisons chimiques et qu'il se mettrait à manger des animaux, encore moins des animaux élevés dans des fermes industrielles, nourris avec des stimulateurs! Dans notre monde industrialisé, les végétaux sont plus précieux que jamais. Ce sont eux qui peuvent nous protéger. Ils doivent être de plus en plus nombreux et forts pour faire face à des ennemis très bien armés.

1. Les antioxydants

La seule façon de neutraliser l'effet dangereux des radicaux libres est de leur faire rencontrer des antioxydants. Vous savez maintenant que les radicaux libres sont des molécules ayant des électrons célibataires qui endommagent nos molécules saines en leur volant des électrons. Les antioxydants sont là pour empêcher les radicaux libres de faire des ravages en leur offrant des électrons célibataires. Autrement dit, les antioxydants seraient un peu comme un groupe de molécules célibataires prêtes à s'accoupler avec les radicaux seuls afin qu'ils se tiennent tranquilles et qu'ils ne soient pas tentés de briser des couples. Ainsi, les antioxydants aident à combattre le cancer, de même qu'à réduire les risques de crise cardiaque et les effets du vieillissement. Ils sont majoritairement présents dans les fruits et les légumes. Décidément, les fruits et légumes nous font penser, plus que n'importe quel autre groupe d'aliments, à une fontaine de Jouvence!

Les antioxydants se classent en trois catégories:

a) *les vitamines*

Certaines vitamines ont des propriétés antioxydantes. Les vitamines C et E ainsi que le bêta-carotène sont très réputés pour nous protéger des cancers.

b) *les oligo-éléments*

Parmi les oligo-éléments, on retient notamment les qualités antioxydantes protectrices du sélénium, du cuivre, du manganèse et du zinc.

c) *les éléments phytochimiques*

Les grandes vedettes de l'heure dans le domaine de la nutrition, encore méconnues parce que dernières venues dans le milieu scientifique, sont des composés qu'on appelle «éléments phytochimiques». Les éléments phytochimiques sont des composés naturels que seuls les végétaux fabriquent. Chaque plante possède une combinaison unique d'éléments phytochimiques qui détermine sa couleur, son odeur et sa saveur. Les éléments

Le code des couleurs des végétaux

Parmi les éléments phytochimiques, ceux qui donnent la couleur aux végétaux attirent beaucoup l'attention des spécialistes en nutrition. Non seulement on recommande de manger neuf ou dix portions de fruits et légumes par jour pour prévenir le cancer, mais on accorde maintenant autant d'importance au fait de s'assurer que les différentes teintes du spectre de couleurs des végétaux soient représentées dans notre assiette chaque jour. Si une couleur manque, nous manquerons nous aussi de substances bénéfiques à certains organes.

Les couleurs de l'arc-en-ciel dans votre assiette

Couleur	Substances actives / mode d'action	Sources
ROUGE	*Le lycopène (un caroténoïde).* Protège contre les cancers de la prostate, des poumons et du système digestif.	Tomate, pamplemousse rose, melon d'eau.
MAUVE / ROUGE	*Anthocyanines, polyphénols.* Retardent le vieillissement cellulaire et empêchent la formation de caillots dans le sang.	Raisin rouge et bleu, bleuet, fraise, betterave, aubergine, chou rouge, poivron rouge, prune, pomme rouge, cerise noire
ORANGE	*Alpha- et bêta-carotène.* Stimulent le système immunitaire, aident à stopper la prolifération cellulaire.	Carotte, mangue, cantaloup, courge d'hiver, patate douce.
JAUNE / ORANGE	*Bêta-cryptoxanthine, hespéritine.* Aident à prévenir les maladies cardiaques et certains cancers.	Orange, pêche, papaye, nectarine, ananas.
VERT / JAUNE	*Lutéine (un caroténoïde) et zéaxanthine.* Réduisent les risques de cataractes et de dégénérescence maculaire (l'une des causes majeures de cécité).	Épinard, chou collard, maïs, pois vert, avocat, melon miel…
VERT	*Sulforafane, isocyanates, indoles.* Inhibent l'action des éléments cancérigènes.	Brocoli, chou de Bruxelles, chou vert, chou frisé (kale), bok choy
BLANC / VERT	*Allicine et autres composés sulfurés, quercétine et kaempferol.* Ont des propriétés antitumorales et anti-inflammatoires; préviennent l'oxydation du cholestérol.	Ail, oignon, poireau, céleri, asperge, poire, raisin vert, vin blanc.

Pour en savoir plus: JOSEPH, James A., NADEAU, Daniel et UNDERWOOD, Anne, *The Color Code: fruits and vegetables are stars.*

HEBER, David D[r] et BOWERMAN, Susan, *What Color Is Your Diet?*

phytochimiques des plantes protègent celles-ci contre les dommages cellulaires causés par le soleil, les insectes et les maladies. Ces mêmes éléments qui protègent la plante sont bénéfiques pour notre santé; ce qui est bon pour la plante est également bon pour nous! On sait maintenant que ces éléments aident notre corps à se protéger du cancer, des maladies cardiaques, des accidents vasculaires cérébraux, de l'arthrite, du vieillissement du cerveau et des yeux et de toutes sortes de maladies dégénératives. Jusqu'à maintenant, on a identifié au-delà de 80 000 éléments phytochimiques, qui sont désormais sous la loupe des chercheurs du monde entier. Décidément, les végétaux n'ont pas fini de nous impressionner!

Les aliments: toujours supérieurs aux suppléments

Lorsqu'on parle du pouvoir protecteur de certaines vitamines et de certains oligo-éléments ou éléments phytochimiques, on parle de substances contenues dans les aliments, particulièrement dans les végétaux. Malheureusement, tout le monde ne se réjouit pas à l'idée de consommer une abondance de légumes et de fruits chaque jour. Les suppléments deviennent alors très tentants, car ils demandent beaucoup moins d'efforts. Désolée d'en décevoir plusieurs, mais les suppléments n'offrent pas du tout les mêmes avantages. On se rend de plus en plus compte que si on isole

---

Les meilleurs combattants

Voici la liste des 20 végétaux qui ont obtenu le meilleur score en tant qu'antioxydants. Cette liste provient de l'analyse de l'USDA, appelée ORAC (Oxygene Radical Absorbance Capacity, ce qui signifie capacité absorbante des radicaux d'oxygène):

FRUITS FRAIS	LÉGUMES ET LÉGUMINEUSES
Bleuet	Cresson
Mûre	Kale
Canneberge	Épinard cru
Fraise	Asperge
Framboise	Chou de Bruxelles
Prune	Luzerne
Avocat	Fleuron de brocoli
Orange	Betterave
Raisin rouge	Poivron rouge
Cerise	Haricot rouge

un élément protecteur de son environnement naturel incluant les minéraux, les vitamines, les fibres, les enzymes, etc., sa valeur n'est plus la même. On peut même obtenir le résultat inverse de celui qu'on attend. Deux recherches ont démontré que des gens qui prenaient des suppléments de bêta-carotène, substance censée réduire le risque de souffrir de certains cancers, ont été plus sujets au cancer du poumon que les personnes qui n'en prenaient pas. On sait également que les vitamines, les minéraux et les oligo-éléments interagissent entre eux. Prendre un surplus d'un élément en particulier peut nuire à d'autres. Les dernières découvertes nous incitent à recommander aux gens de faire preuve d'une très grande prudence en ce qui concerne la prise de suppléments de toutes sortes.

2. Les fibres

Un apport élevé en fibres – environ 30 à 40 grammes par jour – réduit les risques de plusieurs types de cancer. Les fibres interfèrent avec la réabsorption intestinale des œstrogènes, des acides biliaires et d'autres substances toxiques et cancérigènes. Au lieu d'être assimilées, ces substances sont plutôt évacuées grâce aux fibres. De plus, les fibres, en accélérant le passage des aliments dans l'intestin, permettent de réduire le temps pendant lequel les éléments toxiques sont en contact avec la paroi intestinale.

Selon le Centre national de la prévention des maladies chroniques et de la santé des États-Unis, les suppléments n'augmentent nullement notre durée de vie.

250 ml (1 tasse) de kale (chou frisé) qui contient 13 UI de vitamine E a le même effet antioxydant qu'un supplément de 1100 UI de vitamine E, sans les effets secondaires des suppléments.

Calculer l'apport en fibres

Tableau de calcul rapide

Légumes	2-3 grammes	125 ml (1/2 tasse) de légumes cuits 250 ml (1 tasse) de légumes crus
Fruits	2-3 grammes	1 fruit moyen 1/2 pamplemousse ou banane 125 ml (1/2 tasse) de fruits en morceaux
Légumineuses	4-7 grammes	125 ml (1/2 tasse) de haricots, pois, lentilles
Noix et graines	1-2 grammes	30 ml (2 c. à soupe)
Grains	3-5 grammes	125 ml (1/2 tasse) de grains entiers (riz brun, orge, avoine, quinoa…) 125 ml (1/2 tasse) de pois verts, maïs, pommes de terre, patates douces ou autres féculents
Produits céréaliers	1-2 grammes	1 tranche de pain entier 1/2 bagel ou pita entier 30 g (1 oz) de céréales à déjeuner*

* Plusieurs céréales sont additionnées de fibres faussées; les suppléments de fibres ajoutés aux céréales raffinées ne correspondent pas à la forme de fibres recommandée. Mieux vaut choisir une vraie céréale entière.

Qui sont les plus utiles pour se protéger du cancer, 2e cause de décès: les aliments de source végétale ou animale?

Facteurs alimentaires prédisposants	Animaux ou végétaux
Gras en excès, gras oxydé ou hydrogéné	Produits animaux + végétaux
Gras saturé	Produits animaux (surtout)
HAP et AH (cuisson des viandes)	Produits animaux (surtout)
Pesticides	Produits animaux (surtout) et végétaux non biologiques
Fer hémique	Produits animaux

Facteurs alimentaires protecteurs

Antioxydants	Végétaux
Éléments phytochimiques	Végétaux
Fibres	Végétaux

59

À retenir

Nous ne sommes pas les seules à le dire: les plus grandes autorités en matière de prévention du cancer, dont le National Cancer Institute, la National Academy of Sciences, l'American Cancer Society ainsi que le Surgeon General of the United States s'entendent tous pour dire qu'il faut réduire notre apport en viande, en produits laitiers et en gras en général (incluant les huiles végétales) et augmenter notre consommation de grains, de fruits frais et de légumes pour prévenir l'apparition du cancer.

Bibliographie

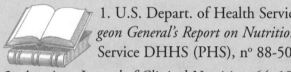 1. U.S. Depart. of Health Services. «Cancer», in *The Surgeon General's Report on Nutrition and Health*, Public Health Service DHHS (PHS), n° 88-50210, 1988 p.179 et 194.

2. *American Journal of Clinical Nutrition*, 64, 1996, p. 850-855.

3. LUDINGTON, Aileen, MD et DIEHL, Dr Hans, HSc. «Better Health in Easy Doses», *Lifestyle Capsules*, p. 53.

4. RICHARDSON, S., GERBER, M. et CENEE, S. «The Role of Fat, Animal Protein and some Vitamine Consumption in Breast Cancer: a Case Control Study in Southern France», *Int J Cancer*, 48(1), 22 avril 1991, p. 1-9.

5. WILLETT, W.C. et STAMPFER, M.J. «Sobering Data on Alcohol and Breast Cancer», *Epidemiology*, 8(3), mai 1997; p. 225-227.

6. THOMAS D.B. «Cancer», *Last Public Health & Preventive Medecine*, J.M., Wallace R. B., éditeurs Maxcy-Rosenau, 13e édition, Norwalk, CT, Appleton et Lange, 1992, p. 816.

7. US Department of Health and Human Services. «Effects of Alcohol on Health and Body Systems», *Eighth Special Report to the US Congress on Alcohol and Health*, National Institutes of Health (NIH), n° 94-3699, 1993, p. 177-178.

8. SCHATZKIN, A., JONES, D.Y. et coll. «Alcohol Consumption and Breast Cancer in the Epidemiologic Follow-up Study of the First National Health and Nutrition Examination Survey», *N Engl J Med*, 316(19), 7 mai 1987, p. 1169-1173.

9. *International Journal of Cancer*, 71, 1997, p. 14-19.

10. Les diplômés, *La revue des diplômés de l'Université de Montréal*, n° 402, printemps 2002.

11. WEINBERG, E.D., «The Role of Iron in Cancer», *Eur J Cancer Prev*, 5(1), février 1996, p. 19-36.

12. MORISON, H.I., WILKINS, SEMENCIW et coll. «NHL and Agricultural Practices in the Prairie Provinces of Canada», *Scand J Work Env Health*, 1, 1994, p. 42-47.

13. VIEL, J.F., *Étude des associations géographiques entre mortalité par cancers en milieu agricole et exposition aux pesticides*,1992.

14. FORASTRIERE, F., QUERCIA, A., ICELIET, M. et coll. «Cancer Among Farmers in Central Italy», *Scan J Work Env Health*, 6, 19, 1993, p. 382-389.

15. KRISTENSEN, P., ANDERSEN, A., IRGENS, L.M et coll. «Cancer in Offspring of Parents Engaged in Agricultural Activities in Norway», *Itl J Cancer*, 1, 65, 1996, p. 39-50.

16. VAN DER GULDEN, J.W. et al. «Farmers at Risk for Prostate Cancer», *Br J Urology*, 1, 77, 1996, p. 6-14.

17. SCHREINEMACHERS, D.M., CREASON, J.P et GARRY, V.F. «Cancer Mortality in Agricultural Regions of Minnesota», *Env Health Persp*, 3, 107, 1999, p. 205-11.

18. GARABRANT, D., HELD, J., LANGHOLTZ, B. et coll. «DDYT and Elated Compounds and Risk of Pancreatic Cancer», *J Natl Cancer Inst*, 10, 84, 1992, p. 764-771.

19. MILLS, P.K., «Correlation Analysis of Pesticide Use Data and Cancer Incidence Rate in California Counties», *Arch Env Health*, 53,1998.

Le végétarisme pour la santé des os

Anne-Marie Roy, diététiste-nutritionniste

Dans cette section
Les vraies causes de l'ostéoporose
Ce qui influence l'assimilation du calcium
Les sources végétales de calcium
Le lait de vache est-il utile à l'humain?
Les effets méconnus du lait

Il est très louable de s'occuper de la santé de nos os puisqu'une Québécoise sur trois subira une fracture au cours de sa vie et que l'ostéoporose cause plus de décès que les cancers du sein et de l'utérus réunis. L'ostéoporose, contrairement à la croyance populaire, se définit par une diminution de la masse osseuse et non pas comme une déficience en calcium. Ce dernier concept est né d'une stratégie commerciale pour vendre plus de suppléments en calcium ou de produits laitiers. L'ostéoporose n'est pas une conséquence inévitable du vieillissement ou le simple fruit d'une prédisposition génétique; c'est une maladie causée en majeure partie par des habitudes de vie inappropriées et par une mauvaise alimentation.

L'ostéoporose n'est donc pas simplement provoquée par un manque de calcium dans notre alimentation. Si c'était le cas, les habitants des sociétés qui consomment le plus de calcium, notamment les Nord-Américains, ne souffriraient que très rarement de cette maladie. En fait, un apport élevé en calcium ne semble pas nous protéger de l'ostéoporose. Ainsi, les Noirs d'Afrique du Sud ne boivent pas de lait et consomment peu de calcium; pourtant l'incidence d'ostéoporose chez eux est de 6,8 pour 100 000 habitants, ce qui est très nettement en deçà de celle des Américains, noirs ou blancs, qui est de

60,4 et de 118,3 respectivement pour 100 000 habitants[1]. La vraie cause de l'ostéoporose qui, dans certains pays, affecte tant de personnes, c'est que le calcium, même s'il est consommé en grande quantité, est très mal assimilé ou s'échappe de nos os. Pour protéger notre squelette, on a besoin de calcium, mais on a surtout besoin de faire en sorte que ce calcium reste dans nos os.

Comment conserver son calcium

Un bilan positif en calcium

Le concept le plus important à retenir est qu'il faut avoir un bilan positif en calcium, c'est-à-dire qu'on doit absorber plus de calcium qu'on en excrète (dans l'urine et les selles). On peut consommer seulement 400 mg de calcium par jour, comme les population bantoues d'Afrique, et avoir un bilan positif en calcium qui permet d'éviter l'ostéoporose. À l'opposé, on peut consommer 2 000 mg de calcium par jour, c'est-à-dire une quantité excessive, comme le font les Inuits, et se retrouver avec un bilan négatif en calcium et un risque énorme de souffrir d'ostéoporose.

> Pour développer de l'ostéoporose, il suffit d'avoir de façon régulière un bilan négatif en calcium de -30 à -40 mg.

Au lieu de nous gaver de calcium, ce qui peut entraîner la formation de pierres aux reins, la calcification des tissus, un déséquilibre minéral et l'anémie, nous devrions nous préoccuper de ne pas trop *perdre* de calcium. Le principe est le même que lorsqu'on établit notre bilan financier: si le montant d'argent que nous avons accumulé dépasse celui que nous avons dépensé, notre santé financière sera bonne. Il arrive que des gens riches soient en mauvaise santé financière; pour régler la situation, ils ne devront pas gagner encore plus d'argent, mais voir où se produisent les fuites importantes de capitaux. Dans le cas des os, on peut appliquer le même principe: mais d'où viennent donc les fuites de calcium?

Les voleurs de calcium

1. Un excès de protéines[2-3-4]

Le métabolisme des protéines laisse des résidus acides (acide urique, ammoniaque…). Quand ces acides entrent dans le sang, le corps doit absolument les neutraliser afin de prévenir les dommages qu'un surplus d'acidité pourrait causer à nos organes. Pour ce faire, le calcium, qui est présent dans les os sous forme de phosphate de calcium, s'échappe de sa forteresse. Il se détache de sa partie phosphate, laquelle, étant alcaline, neutralise l'acidité causée par les protéines. Les ions de calcium, pour leur part, sont excrétés et perdus dans l'urine. Le métabolisme des protéines entraîne aussi la production d'urée, un diurétique important qui contribue à augmenter la production d'urine et, par le fait même, à provoquer la fuite de notre précieux calcium dans l'urine.

La quantité excessive de protéines consommée dans les pays industrialisés est, sans nul doute, l'une des causes majeures du taux quasi épidémique d'ostéoporose et de l'apparition précoce de la maladie.

On croit souvent – à tort – qu'en buvant plus de lait, on échappera à l'ostéoporose. C'est plutôt l'excès de protéines qu'on devrait redouter pour nos os. Même en respectant les portions recommandées par le Guide alimentaire canadien, on dépasse d'au moins deux fois nos besoins en protéines (voir la section sur les protéines pour plus de détails). En 1994, un rapport de l'*American Journal of Clinical Nutrition* a démontré qu'en éliminant les protéines animales de l'alimentation, on réduit de moitié les pertes en calcium. Cela expliquerait, entre autres choses, pourquoi les végétariens ont en général des os plus résistants que les consommateurs réguliers de viande. On a découvert, à la suite d'une étude menée en 1988 sur 2 000 femmes, que les végétariennes âgées de 80 ans souffraient en moyenne d'une perte de densité osseuse mesurable de 18 %, en comparaison

de 35 % chez les femmes du même âge qui consommaient beaucoup de viande. Le *Journal of the American Dietetic Association* a publié en 1980 une étude qui affirme que les végétariens, quand ils atteignent 70 ou 80 ans, ont une plus grande densité osseuse que les consommateurs de viande âgés de 20 ans de moins.

2. *Trop de sodium*

Le sodium, communément appelé sel, favorise la perte du calcium. On connaît bien le lien qui existe entre la consommation de sel et l'hypertension, mais le sel a aussi un effet dévastateur sur le calcium[5-6]. Si nous limitons notre apport en sodium à une quantité raisonnable de 1 ou 2 grammes par jour, nos besoins quotidiens en calcium s'en trouvent réduits de 160 milligrammes, soit d'environ 20 %. Rappelez-vous que, si le sel fait fondre la glace, il contribue aussi, en quelque sorte, à faire «fondre» les os.

3. *La caféine et l'alcool*

Boire aussi peu que deux tasses de café peut avoir un effet diurétique suffisant pour nous faire perdre des quantités appréciables d'eau et de calcium. Le premier conseil qu'on devrait donner à une femme inquiète à propos de la santé de ses os, avant même de lui recommander de prendre des suppléments de calcium, est de cesser complètement de boire du café. L'alcool a aussi un effet diurétique qui contribue à acheminer le calcium de notre organisme vers les égouts.

4. *Le sucre blanc*

Le sucre est un grand ennemi de la santé des dents, du cœur, du système immunitaire, etc. Il est également nuisible pour les os, puisqu'il entrave le métabolisme du calcium, du magnésium, de la vitamine D et d'autres substances essentielles à la solidité de notre squelette.

5. *L'acide phosphorique*

Comme vous le savez maintenant, le café, boisson préférée des adultes, n'est pas très bon pour les os. Les boissons gazeuses brunes, si populaires chez nos jeunes en pleine croissance, ne valent absolument pas mieux. Non seulement contiennent-elles de la caféine et une quantité phénoménale de sucre, mais elles sont l'une des sources les plus importantes d'acide phosphorique. On ajoute cette substance aux boissons gazeuses brunes pour qu'elles provoquent une sensation de pétillement sur la langue; ce qui, en revanche, ne se perçoit pas instantanément, c'est l'effet destructeur de cet ajout chimique sur les os. Si seulement on disait cela dans les écoles ou à la télé, au lieu d'entourer

nos adolescents de machines distributrices et de leur faire voir des publicités qui les incitent à consommer ce type de boissons!

6. *Le tabac*

Fumer est une habitude qui contribue aussi à nous faire perdre notre calcium. Une étude menée auprès de plusieurs jumeaux identiques a révélé que, si l'un d'eux fumait depuis longtemps alors que l'autre était non fumeur, l'accro à la nicotine avait un risque de subir des fractures de 44 % plus élevé que son frère[8].

Les alliés du calcium

1. *L'exercice et le travail musculaire*

Il est prouvé que l'exercice renforce les os autant que les muscles. On sait très bien, par exemple, qu'un joueur de tennis droitier aura le bras droit plus musclé que le gauche. Des études ont permis de vérifier que non seulement les muscles étaient plus gros, mais que les os l'étaient aussi. Dans le cas des os, on peut appliquer une règle bien connue: *«use it or lose it»*, une expression anglaise qui se traduit mal, mais qui veut dire, en gros, utilise-les ou perds-les. Les os ont donc besoin que l'on fasse de l'exercice pour entretenir leur densité et leur solidité. Idéalement, on recommande de pratiquer une activité qui exerce une pression sur les os, c'est-à-dire au cours de laquelle le poids du corps repose sur les os. La marche, par exemple, est un exercice très intéressant qui peut être pratiqué par la grande majorité des gens. En y ajoutant des activités quotidiennes comme jardiner, faire le ménage ou n'importe quelle autre tâche qui demande qu'on se serve aussi du haut du corps, on obtient une combinaison tout à fait convenable.

2. La vitamine D

La vitamine D est essentielle à l'assimilation et à l'utilisation du calcium par les os. Le soleil est notre fournisseur officiel de vitamine D. Il suffit qu'une petite surface de notre corps y soit exposée une quinzaine de minutes pour avoir notre dose quotidienne. Durant l'hiver, étant donné qu'on sort peu et que le soleil est beaucoup moins fort, on doit utiliser les réserves faites durant la période estivale. Cependant, les nourrissons et les enfants ne font pas de réserve; ils ont donc besoin d'un petit coup de pouce durant la saison froide. Longtemps, il n'y a eu qu'un seul aliment pouvant être enrichi de vitamine D: c'était le lait. Heureusement, les temps ont changé, et on peut maintenant retrouver «la vitamine soleil» dans les boissons de soya enrichies. Si vous préférez, vous pouvez aussi aller faire un tour dans le Sud durant la saison froide, ou bien opter pour un supplément vitaminique.

3. Le magnésium, la silice, le bore, la chlorophylle, le molybdène, le vanadium, le cuivre, le potassium, la vitamine C…

Le calcium à lui seul n'est pas très performant sans son arsenal d'éléments nutritifs essentiels qui participent à la structure et à la solidité de l'os, ainsi qu'à son assimilation, son utilisation et son métabolisme. Plusieurs vitamines, minéraux et oligo-éléments font partie de son équipe, et chacun a un rôle à y jouer. Malheureusement, le Québécois moyen, vu le raffinage des céréales qu'il mange et sa pauvre consommation de légumes, de légumineuses et de noix, se trouve très souvent carencé en ces éléments essentiels, et sa structure osseuse ne peut qu'en être très affectée.

Magnésium: légumes verts, légumineuses, noix, grains entiers (le quinoa en particulier).
Silice: riz brun, fraise, céleri, concombre (surtout la pelure) et la majorité des végétaux entiers.
Bore: graines de lin, fruits, légumes à feuilles, noix, légumineuses.

Les fruits et légumes bons pour les os[9]

Les fruits et les légumes aident les femmes à avoir de bons os, ont découvert des chercheurs de l'Université de Surrey après avoir évalué 62 femmes.

Celles-ci ont été soumises à des tests de densité osseuse et ont rempli un questionnaire détaillé portant sur leurs habitudes alimentaires depuis leur enfance jusqu'à 12 mois avant l'étude. Les femmes qui mangeaient le plus de fruits et de légumes présentaient la meilleure densité osseuse.

La docteure Susan A. New a noté qu'une alimentation riche en potassium, en bêta-carotène, en vitamine C et en magnésium semblait garante d'une bonne santé osseuse. Les chercheurs croient que le potassium ralentit l'excrétion de calcium et que la vitamine C facilite la formation des os.

La «calciummanie»

On fait tant de publicité au calcium qu'on en oublie de considérer qu'il existe d'autres substances essentielles à la santé des os. Pour participer à la constitution d'une bonne charpente, le calcium travaille en collaboration étroite avec le magnésium, la silice, le bore, le manganèse, le molybdène, le vanadium, le cuivre, le potassium, les vitamines C, D et K, etc. On entend rarement parler d'eux, et peu d'études leur ont été consacrées, puisque aucune multinationale ne fait leur publicité ou ne finance la recherche à leur sujet. Le calcium, pour sa part, est grandement sur la sellette grâce à l'importante contribution de l'industrie laitière et des compagnies pharmaceutiques.

> Quand on pense qu'au Québec, nous sommes des amateurs de café et de boissons gazeuses, que la viande est à la base de nos repas, que les légumes y sont trop peu présents, que le sel et le sucre sont consommés en trop grande quantité et que nous ne sommes pas très actifs, il ne faut pas se demander pourquoi l'ostéoporose est en hausse!

Combien de calcium par jour?

Comme vous avez pu le constater, les besoins en calcium dépendent de nombreux facteurs; il est donc très difficile de les évaluer avec précision. Idéalement, on devrait étudier le mode de vie et les habitudes alimentaires de chaque personne pour déterminer l'apport en calcium dont elle a besoin. On a tout de même essayé de fixer les besoins approximatifs de populations données; les résultats varient beaucoup d'une autorité à l'autre. Par exemple, l'OMS (Organisation mondiale de la Santé) dit que nous avons besoin de 400 à 500 mg de calcium par jour, pas plus. Selon d'autres études, nous en aurions suffisamment de 200 à 400 mg par jour, si nous avons des habitudes de vie qui en favorisent la rétention. Au Canada, on a récemment gonflé les recommandations de 700 mg à 1 200 mg, probablement pour essayer, tant bien que mal, de pallier nos mauvaises habitudes et d'abaisser notre haut taux collectif d'ostéoporose. Cela ne semble malheureusement pas avoir les résultats escomptés…

Les bonnes sources de calcium

Le guide alimentaire amélioré

À en croire le Guide alimentaire canadien, il semblerait que les produits laitiers soient la seule source valable de calcium, puisque aucun substitut ne nous est proposé. Or, c'est complètement faux! Le groupe «Lait et produits laitiers» est vraiment mûr pour un changement urgent d'identité: il devrait plutôt s'appeler «Sources de calcium». N'est-ce pas d'ailleurs la raison même de l'existence de ce groupe? Pourquoi faire croire aux gens que le calcium n'est présent que dans les produits laitiers? Ils en contiennent beaucoup, certes, mais d'autres sources sont tout aussi valables qu'eux, sinon plus (voir le tableau à la page suivante). Les légumes de la famille des choux, par exemple, ont une très forte concentration en calcium.

Les choux les plus intéressants sont le chou kale, aussi appelé chou frisé, le chou pakchoi (ou bok choi), le chou collard et, évidemment, notre bon vieux brocoli. Les boissons de soya enrichies sont, pour leur part, aussi riches en calcium que le lait de vache, et elles fournissent en plus des gras essentiels et de nombreux éléments phytochimiques protecteurs. Le tofu régulier ou soyeux (fait de chlorure de calcium) est une source exceptionnelle de calcium. Dans le groupe des noix et des graines, les amandes, les graines de sésame et leurs beurres (tahini et beurre d'amande) peuvent remplacer avantageusement le lait. Nous pourrions souligner l'apport en calcium des algues, des figues, de la mélasse blackstrap, ainsi que de certaines variétés de légumineuses. De plus en plus de personnes bien informées décident, pour différentes raisons valables, de retirer les produits laitiers de leur alimentation. Il ne faut plus jouer à l'autruche. On doit se rendre compte qu'il est urgent d'offrir une solution de rechange qui rassurera ceux qui craignent encore de voir leurs os fondre s'ils ne consomment pas de produits laitiers.

Les bonnes sources de calcium

Calcium	mg	Calcium	mg
Légumineuses cuites: 250 ml (1 tasse)		Noix et graines (30 ml / 2 c. à soupe)	
Pois chiches	78	Amandes	50
Great northern	121	Beurre d'amande	86
Fèves blanches	128	Graines de sésame non décortiquées	176
Pinto	82		
Haricots noirs	103	Légumes (250 ml / 1 tasse)	
		Bok choy	158
Produits de soya		Brocoli	178
Fèves de soya (250 ml / 1 tasse)	175	Chou collard	356
Tofu ferme (125 ml / 1/2 tasse)	120-350	Kale	180
Tempeh (125 ml / 1/2 tasse)	77	Courge butternut	84
Protéines végétales texturisées (125 ml / 1/2 tasse)	85		
		Fruits	
Boisson de soya non enrichie (250 ml / 1 tasse)	84	Figues séchées (5)	258
		Jus d'orange enrichi de calcium (250 ml / 1 tasse)	300
Boisson de soya enrichie (250 ml / 1 tasse)	250-300	Mûre, orange, raisin, papaye	46-72
Noix de soya (125 ml / 1/2 tasse)	252		
		Autres	
Algues (50 g)		Mélasse blackstrap (15 ml / 1 c. à soupe)	187
Hijiki	700	Quinoa (250 ml / 1 tasse)	102
Wakamé	650	Muffin anglais de blé entier (1)	174
Kelp	550	Lait de vache (250 ml / 1 tasse)	300
Kombu	400	Yogourt (250 ml / 1 tasse)	275-400

À propos du lait

Le lait et les os

Des études de plus en plus nombreuses nous confirment aujourd'hui que consommation de lait et de produits laitiers ne rime pas forcément avec prévention de l'ostéoporose[10 à 17].

Une récente étude de grande ampleur a été menée auprès de 78 000 femmes, à Harvard, et s'est poursuivie pendant 12 ans. Ses résultats ont révélé que celles qui buvaient du lait trois fois par jour étaient plus sujettes aux fractures que celles qui ne buvaient du lait que rarement[18]. En 1994, une autre étude, menée cette fois à Sydney, en Australie, affichait des résultats semblables; plus la consommation de produits laitiers était élevée, plus les risques de fractures augmentaient. Les personnes qui consommaient le plus de produits laitiers couraient un risque approximativement deux fois plus élevé de subir une fracture que ceux qui en consommaient le moins[19].

Ces faits sont inconnus du public, mais bien familiers dans le domaine scientifique. Déjà en 1966, le Dʳ Nordin, chercheur en Angleterre, avait démontré que les fractures et l'ostéoporose étaient visiblement moins fréquentes dans les pays où il se consommait peu ou pas de lait, comme le Soudan, le Kenya, l'Inde ou le Japon, que dans les pays «buveurs de lait» comme les États-Unis, la Finlande et la Grande-Bretagne[20]. Et depuis, d'autres études sont venues confirmer ces dires[21].

Le lait de vache est-il fait pour l'humain?

Pourquoi l'humain, pour avoir du calcium, aurait-il besoin de boire du lait, et particulièrement du lait de vache? La vache, elle, ne boit pas de lait; elle broute pour obtenir le calcium qu'il lui faut. D'ailleurs, aucun autre mammifère adulte, sur notre planète, ne boit du lait après avoir été sevré, et encore moins le lait d'une autre espèce. Le lait de toutes les espèces de mammifères a été conçu

pour les nourrissons, dont le système digestif n'est pas encore assez mature pour recevoir de la nourriture solide. À votre avis, la nature a-t-elle créé les pis des vaches pour nourrir les veaux ou les humains?

Conséquences possibles de la consommation de lait de vache

Depuis plusieurs années, j'ai eu l'occasion de lire de nombreux livres, revues et articles scientifiques à propos des caractéristiques du lait de vache. Je peux vous dire que ce que j'ai découvert est très loin de ce que j'entendais (et que j'entends encore) dans la bouche du grand public et dans les médias. Si je me fiais à mes lectures, le lait pouvait causer des troubles de santé que je n'avais jamais soupçonnés. Pour vérifier ces hypothèses, j'ai recommandé à certains de mes patients d'arrêter temporairement de consommer des produits laitiers, simplement pour voir ce qui se produirait. Les résultats ont été, chez plusieurs, extrêmement impressionnants! Depuis, je ne compte plus les cas d'arthrite, d'asthme, d'eczéma, de constipation, de diarrhée, d'allergies, de sécrétions nasales abondantes, de toux, etc., qui ont été grandement soulagés, voire complètement guéris par l'arrêt de la consommation de lait. Il arrive même que certains symptômes disparaissent de façon inattendue.

Il est temps, pour le bien-être de notre société, de lever le voile blanc des produits laitiers. Voici donc à quoi on peut s'exposer lorsqu'on consomme des produits laitiers :

Aux maladies cardiovasculaires

Parmi les produits de source animale, les produits laitiers sont ceux qui contiennent le plus haut taux de gras saturé. Les Nord-Américains adorent le lait et le fromage, mais leur cœur les aime moins. Selon un rapport du Center for Science in the Public Interest (CSPI), un regroupement pour la santé installé à Washington, le fromage a été désigné comme la *top source* du gras alimentaire qui obstrue les artères des Américains. Selon eux, le fromage est plus menaçant pour le poids et pour le cœur que le bœuf et le beurre. Surtout que le fromage se retrouve partout : sur la lasagne, les bagels, la pizza – et même dans sa croûte ! –, dans les sandwichs, les salades, les burgers…

Malheureusement, les mauvaises habitudes des Américains sont en train de se propager un peu partout, même au Japon. Eh oui, les Japonais se sont mis à boire plus de lait ; depuis, on a vu augmenter leur taux de cholestérol et leur vulnérabilité aux maladies cardio-vasculaires[22].

Au diabète juvénile

Selon une étude effectuée auprès de 142 enfants atteints de diabète juvénile, 100 % des sujets présentaient un taux élevé d'un anticorps à une protéine du lait. On croit que cet anticorps détruirait les cellules du pancréas qui produisent l'insuline et pourrait faire apparaître le diabète juvénile chez certains enfants génétiquement prédisposés[23 à 26].

À l'intolérance au lactose

L'intolérance au lactose est très courante : 95 % des Asiatiques, 74 % des autochtones, 70 % des Africains, 53 % des Mexicains et 15 % des gens de race blanche en souffrent[27]. La raison est que certaines personnes ne possèdent pas suffisamment d'enzymes nécessaires à la digestion du sucre du lait (le lactose) ; si elles mangent des produits laitiers, elles souffrent d'inconfort intestinal, de diarrhée et de flatulences.

Aux allergies

Les produits laitiers sont toujours placés au sommet de la liste des aliments qui provoquent le plus d'allergies alimentaires. Tous les professionnels de la santé le savent très bien. Les symptômes sont parfois très subtils, et on les attribue rarement au lait. Cependant, si une personne persiste à consommer du lait malgré son allergie, cela peut faire apparaître d'autres allergies, au blé par exemple.

71

Aux coliques

Les protéines du lait peuvent causer des troubles digestifs chez un enfant sur cinq. Les protéines du lait consommées par la mère peuvent aussi se retrouver dans le lait maternel[28].

À l'anémie

Puisque les produits laitiers sont presque dépourvus de fer[29] et qu'ils peuvent entraîner de légères pertes de sang par les intestins[30], ils provoquent plus que tout autre aliment l'apparition de l'anémie.

Aux otites

Le Dr Joseph Mercola, de l'Illinois, a écrit que les allergies alimentaires étaient la cause la plus importante des otites infantiles. Il a soigné des centaines de cas d'otites chez les enfants; son traitement commence toujours par

---

Définition du mot lait (selon *Le Petit Larousse*):

*«Liquide, généralement blanc, sécrété par les glandes mammaires de la femme et des femelles des mammifères; aliment très riche en graisses émulsionnées, en protides, en lactose, en vitamines, en sels minéraux, et qui assure la nutrition des jeunes **au début de leur vie**.»*

Ils ont dit:

«Il y a 4 000 espèces de mammifères, et ils produisent tous un lait différent. Le lait humain est fait pour le nourrisson humain et il assure tous ses besoins spécifiques en éléments nutritifs.» – Ruth Lawrence, M.D., professeure en pédiatrie et en obstétrique à l'University of Rochester School of Medicine; porte-parole de l'American Academy of Pediatrics.

Le Dr Benjamin Spock, auteur du livre mondialement connu *Baby and Child Care*, a écrit en 1998: «Le lait de vache n'est pas recommandé pour les enfants malades, et pas plus pour ceux en bonne santé. Les produits laitiers peuvent causer davantage de complications dues au mucus et d'inconfort dû aux infections du système respiratoire supérieur.»

Frank Oski, M.D., ancien directeur du département de pédiatrie de la Johns Hopkins University School of Medicine et médecin en chef du Johns Hopkins Children's Center, a dit en 1992: «Le fait est que boire du lait de vache a été associé à l'anémie ferriprive chez les bébés et les enfants et a été identifié comme étant la cause de crampes et de diarrhée dans la plupart des populations du monde ainsi que la cause de multiples formes d'allergies.»

l'élimination de la consommation de produits laitiers. Il affirme que le lait est responsable d'environ la moitié des otites qu'il traite dans sa pratique[31].

D'autres études ont aussi fait le lien entre la consommation de lait et la constipation[32], l'asthme, l'arthrite [33 à 36], le cancer de la prostate [37 à 42] et des ovaires[43], et certaines maladies auto-immunes, etc.

Sans compter que le lait et ses sous-produits peuvent contenir des contaminants, comme des pesticides, des hormones, des antibiotiques ou d'autres médicaments.

Bibliographie

1. ABELOW, B.J., HOLFORD, T.R., INSOGNA, K.L. «Cross-Cultural Association Between Dietary Animal Protein and Hip Fracture: a Hypothesis», *Calif Tissue Int* 1992, 50, p. 14-28.

2. ZEMEL, M.B. «Role of the Sulfur-Containing Amino Acids in Protein-Induced Hypercalciuria», *J Nutr*;111, 1981, p. 545.

3. HEGSTED, M. «Urinary Calcium and Calcium Balance in Young Men as Affected by Level of Protein and Phosphorus Intake», *J Nutr*, 111, 1981, p. 553.

4. MARSH, A.G., SANCHEZ, T.V., MICKELSEN, O., KEISER, J., MAYOR, G. «Cortical Bone Density of Adult Lacto-Ovo-Vegetarian and Omnivorous Women», *J Am Dietetic Asso*;76, 1980, p. 148-151.

5. NORDIN, B.E.C., NEED, A.G., MORRIS, H.A., HOROWITZ, M. «The Nature and Significance of the Relationship Between Urinary Sodium and Urinary Calcium in Women», *J Nutr*, 123, 1993, p. 1615-1622.

6. *American Journal of Clinical Nutrition*, 63, 1996, p. 735-740.

7. MASSEY, L.K., WHITING, S.J. «Caffeine, Urinary Calcium, Calcium Metabolism and Bone», *J Nutr*, 123, 1993, p. 1611-1614.

8. HOPPER, J.L., SEEMAN, E. «The Bone Density of Female Twins Discordant for Tobacco Use». *N Engl J Med*, 330, 1994, p. 387-392.

9. NEW, S.A., ROBINS, P.A., CAMPBELL, M.K. et coll. «Dietary Influence on Bone Mass and Bone Metabolism: Further Evidence of a Positive Link

Between Fruit and Vegetable Consumption and Bone Health», *Am J Clin Nutr*, 71, 2000, P. 142-151.

10. CUMMING, R.G. et coll. «Calcium Intake and Fracture Risk: Results from the Study of Osteoporositic Fractures», *Amer J Epid*, 145, 1977, p. 926-934.

11. DAWSON-HUGUES, B. et coll. «Dietary Calcium Intake and Bone Loss from the Spine in Healthy Postmenopausal Woman», *Amer J Clin Nutr*, 46, 1987, p. 685-687.

12. KREIGER, N. et coll. «Dietary Factors and Fracture in Postmenopausal Woman: a Case-Control Study», *Inter J Epid*, 21, 1992, p. 953-958.

13. MCAPS, M.W. et coll. «Lactose malabsorption and calcium intake as risk factors for osteoporosis in elderly New Zealand woman», *NZ Med J*, oct. 1991, p. 417-419.

14. NIEVES, J.W. et coll. «A Case-Control Study of Hip Fracture: Evaluation of Selected Dietary Variables and Teenage Physical Activity», *Osteop Inter 2*, 1992, p. 122-127.

15. RIGGS B.I. et coll. «Dietary Calcium Intake and Rates of Bone Loss in Woman», *J Clin Invest*, 80, 1987, p. 979-982.

16. TURNER L.W. et coll. «Risk Factors for Hip Fracture Among Southern Older Women», *Southern Med J*, 91, 1998, p. 533-540.

17. WHEADON, M. et coll. *New Zealand Med J*, 9 octobre 1991, p. 417-419.

18. FESKANICH, D., WILLETT, W.C., STAMPFER, M.J., COLDITZ, G.A. «Milk, Dietary Calcium, and Bone Fractures in Women: a 12-Year Prospective Study», *Am J Publ Health*, 87, 1997, p. 992-997.

19. CUMMING, R.G, KLINEBERG, R.J. «Case-Control Study of Risk Factors for Hip Fractures in the Elderly», *Amer J Epid*, 139, 1994, p. 493-503.

20. NORDIN, B.E.C. «International Patterns of Osteoporosis», *Clin Orthop Rel Res*, 45, 1966, p. 17-30.

21. XU, L. et coll. «Very Low Rates of Hip Fracture in Beijing, People's Republic of China». *Amer J Epid*, 144, 1996, p. 901-907.

22. *Journal of the American College of Nutrition*, 15(6), 1996, p. 625-629.

23. SCOTT, F.W. «Cow Milk and Insulin-Dependent Diabetes Mellitus: Is There a Relationship?», *Am J Clin Nutr*, 51, 1990, p. 489-491.

24. KARJALAINEN, J., MARTIN, J.M., KNIP, M. et coll. «A Bovine Albumin Peptide as a Possible Trigger of Insulin-Dependent Diabetes Mellitus», *N Engl J Med*, 327, 1992, p. 302-307.

25. ROBERTON, D.M., PAGANELLI, R., DINWIDDIE, R., LEVINSKY, R.J. «Milk Antigen Absorption in the Preterm and Term Neonate», *Arch Dis Child*, 57, 1982, p. 369-372.

26. BRUINING, G.J., MOLENAAR, J., TUK, C.W., LINDERMAN, J., BRUINING, H.A., MARNER, B. «Clinical Time-Course and Characteristics of Islet Cell Cytoplasmatic Antibodies in Childhood Diabetes», *Diabetologia*, 26, 1984, p. 24-29.

27. BERTRON P., BARNARD, N.D., MILLS, M. «Racial Bias in Federal Nutrition Policy, Part I: The Public Health Implications of Variations in Lactase Persistence», *J Natl Med Asso*, 91, 1999, p. 151-157.

28. CLYNE P.S., KULCZYCKI, A. «Human Breast Milk Contains Bovine IgG. Relationship to Infant Colic?», *Pediatrics*, 87(4), 1991, p. 439-444.

29. PENNINGTON, J.A.T., CHURCH, H.N. *Food values of portions commonly used*. New York, Harper et Row, 1989.

30. ZIEGLER, E.E., FOMON, S.J., NELSON, S.E. et coll. «Cow Milk Feeding in Infancy: Further Observations on Blood Loss from the Gastrointestinal Tract», *J Pediatr*, 116, 1990, p. 11-18.

31. *Family Practice News* 26(19), 1er octobre 1996, p. 12-13.

32. IACONO, G., CAVATAIO, F., MONTALTO, G. et coll. «Intolerance of Cow's Milk and Chronic Constipation in Children», *N Engl J Med*, 339(16), 1998, p. 1100-1104.

33. WELSH, C. «Comparison of Arthritogenic Properties of Dietary Cow's Milk, Egg Albumin and Soya Milk in Experimental Animals», *Int Arch Allergy Appl Immunol*, 80, 1986, p. 192.

34. RATNER, D. «Does Milk Intolerance Affect Seronegative Arthritis in Lactase-Deficient Women?» *Israel J Med Sci*, 21, 1985, p. 532.

35. BERI, D. «Effect of Dietary Restrictions on Disease Activity in Rheumatoid Arthritis», *Ann Rheum Dis*, 47, 1988, p. 69.

36. PANUSH, R. «Food-Induced (Allergic) Arthritis. Inflammatory Arthritis Exacerbated by Milk», *Arthritis Rheum*, 29, 1986, p. 220.

37. CHAN, J.M., STAMPFER, MJ, GIOVANNUCCI, EL. «What Causes Prostate Cancer? A Brief Summary of the Epidemiology», *Sem Canc Biol*, a8, 1998, p. 263-273.

38. HOWELL, M.A. «Factor Analysis of International Cancer Mortality Data and Per Capita Food Consumption», *Br J Cancer*, 29, 1974, p. 328-336.

39. ARMSTRONG, B. et DOLL, R. «Environmental Factors and Cancer Incidence and Mortality in Different Countries, with Special Reference to Dietary Practices», *Int J Cancer*, 15, 1975, p. 617-631.

40. ROSE, D.P., BOYAR, A.P., WYNDER, E.L. «International Comparisons of Mortality Rates for Cancer of the Breast, Ovary, Prostate, and Colon, and Per Capita Food Consumption», *Cancer*, 58, 1986, p. 2363-2371.

41. DECARLI, A. et LA VECCHIA, C. «Environmental Factors and Cancer Mortality in Italy: Correlational Exercise», *Oncology*, 43, 1986, p. 116-126.

42. HEBERT, J.R., HURLEY, T.G., OLENDZKI, B.C., TEAS, J., MA, Y., HAMPL, J.S. «Nutritional and Socioeconomic Factors in Relation to Prostate Cancer Mortality: A Cross National Study», *J Natl Cancer Inst*, 90(21), 1998, p. 1637-1647.

43. CRAMER, D.W., WILLETT, W.C., BELL, D.A. et al. «Galactose Consumption and Metabolism in Relation to the Risk of Ovarian Cancer», *The Lancet Journal*, 2, 1989; p. 66-71.

Le végétarisme pour ne manquer de rien

Anne-Marie Roy, diététiste-nutritionniste

Dans cette section

Le mythe de la carence en fer et en vitamine B_{12}
chez les végétariens
Les végétaux, pour nous aider à vivre mieux
et plus longtemps

Cette section a pour but de rassurer ceux qui craignent de souffrir de carences s'ils se nourrissent exclusivement – ou du moins majoritairement – de végétaux. À vrai dire, la seule carence importante dont risquent de souffrir les végétariens qui mangent moindrement équilibré, c'est une carence… en maladies! En effet, les végétariens/ végétaliens sont déficients en maladies cardiovasculaires, en cancer, en diabète, en hypertension, en obésité, en constipation, en arthrite…

Dans une société d'abondance comme la nôtre, où la nourriture et l'influence publicitaire nous inondent, on a spontanément la crainte de manquer de quelque chose. Aurai-je assez de fer si je ne mange pas de foie? Aurai-je assez de protéines si je ne mange que des légumes à mon repas? Manquerai-je de force si je ne mange pas de viande rouge? Mes os seront-ils faibles si je ne bois pas de lait? Il est étonnant de nourrir toutes ces inquiétudes quand, au fond, les maladies de notre temps sont causées en grande partie par des excès d'aliments néfastes, transformés ou de source animale. L'obésité qui se propage à vue d'œil n'en est-elle pas un signe assez évident?

> N'est-il pas paradoxal d'avoir peur de manquer des aliments qui nous rendent malades?

La position de l'American Dietetic Association, une autorité en matière de nutrition aux États-Unis

Plusieurs ouvrages scientifiques établissent une relation positive entre le végétarisme et la réduction de plusieurs maladies chroniques dégénératives et autres problèmes de santé: obésité, maladies cardiovasculaires, hypertension, diabète et plusieurs types de cancer.

Les études indiquent que les végétariens ont un taux de morbidité[1] (maladies) et de mortalité[2] plus bas que le reste de la population.

S'improviser végétarien

«Sur plusieurs tribunes, il est de bon ton de dire qu'on ne doit pas s'improviser végétarien, comme si abandonner une source de contamination chimique, de gras et de cruauté était dangereux pour notre santé physique et spirituelle. Pourtant, c'est parmi les carnivores que le cancer, les maladies cardiovasculaires et de dégénérescence font des ravages. Mais toujours, les végétariens/végétaliens doivent, eux, faire attention, équilibrer leur alimentation, comme si tout ça était monstrueusement compliqué, complexe, un mystère nutritionnel pour élite diplômée qui répète comme un perroquet ce que d'autres perroquets avant eux ont répété.»

Marjolaine Jolicœur, tiré du site Web Ahimsa.

Le végétarisme, pour avoir du bon sang

Lorsqu'on aborde le sujet du végétarisme/végétalisme avec des néophytes, l'argument qu'ils invoquent contre ce mode d'alimentation est souvent la crainte de souffrir de certaines carences, en particulier en protéines, en calcium, en fer et en vitamine B12. Les deux premiers sujets ayant été largement traités dans d'autres chapitres du livre, nous nous occuperons dans celui-ci du fer et de la vitamine B12.

Faut pas s'en faire avec le fer!

Demandez aux gens qui vous entourent quelles sont les meilleures sources de fer, ils vous répondront en général le foie, la viande rouge et les épinards. C'est en effet ce qu'on nous répète depuis notre plus jeune âge.

Qu'est-ce que le fer?

Le fer est un composant important de l'hémoglobine, qui sert de taxi à l'oxygène dans le sang.

Une carence prolongée en fer mène vers l'anémie.

Les sources de fer

Le fer n'est pas seulement fourni par les animaux. Les légumineuses, le soya et les légumes en contiennent beaucoup; les noix et les produits céréaliers entiers nous en apportent aussi de bonnes quantités. Si l'alimentation végétarienne est suffisamment variée, il y a fort à parier qu'elle nous fournira une quantité amplement suffisante de fer.

En fait, parce que les végétaux sont de bonnes sources de fer, les végétariens, et particulièrement les végétaliens, ont souvent un apport en fer plus élevé que les non-végétariens.

> L'anémie n'est pas plus fréquente chez les végétariens que chez les non-végétariens[3].

Produits laitiers et anémie

Non seulement les produits laitiers sont-ils pratiquement dépourvus de fer, mais ils prennent dans notre assiette la place d'autres aliments qui en contiennent de bonnes quantités. De plus, les produits laitiers nuisent à l'assimilation du fer; il a été démontré qu'une seule portion de lait ou de fromage prise au cours d'un repas réduit de moitié (50 %) l'absorption du fer consommé au même moment.

Évidemment, si un végétarien décide de remplacer, en majorité, la viande qu'il mangeait auparavant par du fromage, il court le risque de faire de l'anémie. En revanche, s'il remplace la viande par des légumineuses, du soya, des noix et davantage de grains entiers et de légumes, il est presque certain de ne jamais souffrir d'anémie, à moins de consommer beaucoup d'aliments qui nuisent à l'absorption du fer, tels que les suppléments de calcium ou de zinc, les produits laitiers, le thé et le café.

L'absorption du fer

Le fer contenu dans les végétaux est moins bien absorbé que celui qui vient des animaux. Cependant, la présence de vitamine C dans les végétaux améliore de beaucoup l'assimilation du fer. Grâce à cette vitamine, la quantité de fer qui entre dans le sang peut tripler et même quadrupler. De plus, le corps s'organise pour mieux assimiler le fer si ses besoins sont plus grands ou s'il en reçoit une quantité insuffisante. C'est probablement pour ces raisons que l'anémie est peu fréquente chez les végétariens – les vrais végétariens, évidemment, pas ceux qui se nourrissent de pizza à la farine blanchie, aux tomates et fromage…

Le trempage, la germination des végétaux (légumineuses, grains et légumes) ainsi que l'ajout de levure au pain favorisent aussi beaucoup l'absorption du fer.

De la vitamine C à tous les repas

Fruits: agrumes (orange et jus, clémentine, pamplemousse…), kiwi, cantaloup, fraise…

Légumes: poivron, tomate, famille des choux, asperge, pois mange-tout, persil, pomme de terre…

Carencé en fer?

Avant de faire votre propre diagnostic maison d'anémie et de vous lancer dans l'achat inutile de suppléments de fer qui peuvent vous être dommageables à la longue, je vous suggère de vous assurer que vous souffrez réellement d'une carence en fer. Pour le savoir, vérifiez si vous présentez la plupart des symptômes suivants:

• fatigue, lassitude, irritabilité
• intérieur de l'œil très pâle, teint pâle
• extrémités froides, constipation
• moins bonne résistance aux infections
• battements de cœur rapides, manque de souffle, étourdissements
• maux de tête, crampes nocturnes
• ongles cassants
• perte d'appétit, envie de manger de la glace

Si c'est le cas:

• Étudiez bien votre alimentation et remarquez si elle semble déficiente en fer.
• Vérifiez si vous avez des pertes de sang importantes (menstruations, sang dans les selles…).

L'anémie est beaucoup moins fréquente chez les hommes que chez les femmes, puisqu'ils ne subissent pas de pertes de sang naturelles par les menstruations.

Si vous avez encore des doutes, confirmez votre diagnostic à l'aide d'une prise de sang.

Pour confirmer l'anémie, il faut que deux des tests suivants indiquent des taux anormaux:

• Feritine
• Fer sérique/capacité de fixation du fer
• Protoporhyrin des globules rouges

Le mystère de la vitamine B12

Cette vitamine du groupe B, nécessaire à la production de globules rouges et au bon fonctionnement du système nerveux, est produite par des bactéries. Dans notre société aseptisée, obsédée par la propreté et où on a la hantise des bactéries, la vitamine B12 est beaucoup moins présente qu'avant. Les légumes, par exemple, sont abondamment lavés, ce qui enlève une bonne partie des bactéries accumulées à leur surface. Par conséquent, la vitamine B12 qui pourrait s'y trouver est elle aussi enlevée.

Certaines études ont démontré que de petites quantités de vitamine B12 peuvent être, par contre, présentes dans les nodules des légumes racines de culture biologique. Il y aurait aussi de la vitamine B$_{12}$ dans notre bouche, où les bactéries en produisent une petite quantité.

Bien que notre besoin en vitamine B$_{12}$ soit très minime, puisqu'elle se recycle efficacement dans le corps, et que celui-ci en fait des réserves pour plusieurs années et même décennies, il se peut que certains végétaliens viennent à manquer de vitamine B$_{12}$. C'est pour cette raison que nous ne prenons pas de risques et recommandons aux végétaliens de passer un test en laboratoire tous les deux ans ou d'inclure une source de vitamine B$_{12}$ dans leur alimentation:

- un supplément de 250 à 500 microgrammes 1 ou 2 fois par semaine
- 15 ml (1 c. à soupe) de levure Red Star (enrichie de vitamine B$_{12}$) par jour
- tout autre aliment additionné de vitamine B$_{12}$: 500 ml (2 tasses) de boisson de soya, une portion appropriée de substitut de viande de soya (ex.: Yves Veggie Cuisine), etc.

Comment tester la vitamine B$_{12}$?
La meilleure façon de savoir si vous manquez de vitamine B$_{12}$ est de subir une analyse sanguine ou de faire un test d'urine pour vérifier quel est votre taux d'acide méthyl malonique; un taux élevé de cet acide indique que vous souffrez d'une carence en vitamine B$_{12}$. Ce test est plus efficace qu'une simple mesure sanguine de la vitamine B$_{12}$.

La position de l'American Dietetic Association
Un régime végétarien bien planifié est bénéfique pour la santé, fournit les nutriments nécessaires et offre des avantages en ce qui concerne la prévention et le traitement de certaines maladies.

Le végétarisme, pour vivre longtemps

Végétarisme et frugalité: une combinaison gagnante

Contrairement à la croyance populaire, ce sont ceux qui mangent peu qui vivent mieux et plus longtemps. De plus, la base des régimes des peuples qui détiennent les records de longévité sont habituellement les végétaux; la viande étant très rare tout comme les produits laitiers.

Le docteur Jean-Pierre Willem, l'un des fondateurs de Médecins aux pieds nus, s'est intéressé au mode de vie des peuples exempts de cancer et de maladies cardiovasculaires. Au début du XXe siècle, les Hunzas, un peuple de l'Himalaya d'une grande frugalité qui se nourrit essentiellement de fruits et de céréales, ne souffraient pratiquement jamais de maladies graves telles que le cancer ou les maladies cardiovasculaires. La vue des vieillards était aussi bonne que celle des jeunes, leur ouïe était intacte, et ils étaient toujours capables de faire de longues marches dans la montagne.

Dans son livre *Le secret des peuples sans cancer*, Jean-Pierre Willem propose de faire chaque année un jeûne partiel d'un mois, et ce, à partir de l'âge de 40 ans. Pendant ce mois, on devrait réduire du tiers son apport alimentaire et couper de façon draconienne sa consommation de gras, de sel et de sucre. «Ce programme donne à l'organisme une chance d'éliminer spontanément les petits cancers encore non détectables, avant qu'ils n'aient atteint un stade irréversible (un million de cellules)», explique le Dr Willem (*La Presse*, dimanche 3 mai 1998). La frugalité est le secret des peuples qui vivent en bonne santé. Pour recouvrer la santé ou la conserver, il ne s'agit donc pas de manger plus, au contraire. Notre inquiétude ou notre phobie de manquer d'éléments nutritifs, qui se traduit par une consommation accrue d'aliments mal choisis, ne peut en fait que nous mener inévitablement à la maladie. Ayons donc plutôt la hantise d'ingurgiter trop de sucre blanc et d'aliments dénaturés, et l'angoisse de manger trop de mauvais gras et de sel!

Des voleurs dans notre assiette

Chaque jour, les Nord-Américains sont victimes de vol. En effet, certains aliments nous volent des éléments nutritifs utiles à notre corps; ils nous volent des vitamines, des minéraux, des oligo-éléments… Parmi les aliments incriminés, on trouve le sucre, le sel, les boissons gazeuses, le café, les aliments trop riches en protéines, les gras transformés…

Parce que notre alimentation est concentrée en aliments voleurs d'éléments nutritifs, les apports nutritionnels recommandés doivent parfois être gonflés afin de compenser la perte. On va même jusqu'à inventer des aliments enrichis de vitamines, du lait enrichi de calcium, des probiotiques, des neutraceutiques. On commence d'ailleurs à trouver dans les supermarchés des aliments médicamentés, «boostés», qu'on a inventés pour tenter, tant bien que mal, d'atténuer les ravages causés par la malbouffe qui remplit nos assiettes. Mais attention, plus on s'éloigne des aliments tels qu'ils sont offerts dans la nature, plus on risque de créer des déséquilibres.

Si nous n'avions pas tant modifié les bons aliments qui existent à l'état naturel, si nous n'avions pas raffiné les céréales, si nous n'avions pas inventé le sucre blanc et les additifs, si nous avions continué à cultiver nos végétaux sans produits chimiques et à les utiliser comme base de notre alimentation, nous n'aurions pas à nous préoccuper de notre apport en éléments nutritifs, ou à nous soucier d'avoir suffisamment de telle vitamine ou de tel minéral. Nous aurions simplement à nous assurer de manger à notre faim, et le reste irait de soi.

Bibliographie

 1. KNUTSEN, S.F. «Lifestyle and the Use of Health Services», *Am J Clin Nutr*, 59 (suppl), 1994, p. 1171S-1175S.

2. KEY T.H., THOROGOOD, M., APPLEBY, P.M., BURR, M.L. «Dietary Habits and Mortality in 11,000 Vegetarian and Health Conscious People: Results of a 17-Year Follow Up», *BMJ*, 313, 1996, p. 775-779.

3. CRAIG, W.J. «Iron Status of Vegetarians», *Am J Clin Nutr*, 59 (suppl.), 1994, p. 1233S-1237S.

Le mythe des protéines

Anne-Marie Roy, diététiste-nutritionniste

Dans cette section
Nos besoins en protéines
Les protéines végétales sont-elle complètes?
La complémentarité est-elle nécessaire?
Les conséquences d'un surplus de protéines

Que ce soit autour d'une table ou pendant une discussion entre amis, vient toujours le moment fatidique où quelqu'un annonce la grande nouvelle: «Anne-Marie est végétarienne.» Tous les yeux se tournent alors vers moi et, inévitablement, la pléiade habituelle de questions s'ensuit, dont une qui revient à tout coup: «Mais où vas-tu chercher tes protéines?» Eh bien, pour tous les inquiets de la terre, au sujet des végétariens, la réponse à la question est donnée dans ce chapitre.

Une peur généralisée

On a accordé tellement d'attention à la question des protéines au cours des dernières années que certaines personnes en ont développé une véritable phobie: celle d'en manquer! Par conséquent, on mange aujourd'hui une quantité de protéines qui dépasse largement nos besoins. Ces surplus ont même des répercussions néfastes sur notre santé. Les vastes campagnes de publicité très efficaces organisées par l'industrie alimentaire ont propagé l'idée que la viande est la seule source de protéines capable d'assurer notre santé et notre croissance. Elles ont oublié de mentionner que l'abondance de protéines contenue dans la viande nous nuit et que les végétaux, eux, nous apportent des quantités de protéines parfaitement adaptées à nos besoins.

Nos besoins en protéines

Les besoins en protéines de l'être humain adulte ont été évalués par plusieurs autorités scientifiques. Les résultats varient beaucoup selon les recherches. À l'extrémité inférieure de l'échelle, une étude faite par Hegsted, de l'*American Journal of Clinical Nutrition*, conclut que nous aurions assez de 2,5 % de nos calories sous forme de protéines. L'OMS (Organisation mondiale de la Santé) évalue plutôt nos besoins en protéines à 4,5 % de l'apport calorique. La Commission de l'alimentation et de la nutrition de l'Académie nationale des sciences (États-Unis) a décidé, pour sa part, d'ajouter une marge de sûreté importante et de recommander environ 6 %. Le National Research Council (États-Unis) ajoute une marge encore plus grande et en arrive au chiffre de 8 %. Finalement, à l'extrémité supérieure, on trouve les apports nutritionnels recommandés par les États-Unis et le Canada, selon lesquels environ 10 % des calories que l'on mange devraient être fournies par les protéines. Il s'agit là d'un apport protéique très sécuritaire.

Juste pour vous donner une idée, 5 % des calories fournies par le lait maternel proviennent des protéines.

Rappelez-vous que la plupart des recommandations tiennent plutôt compte des besoins maximaux que des besoins minimaux.

Si on est un peu peureux et qu'on décide de respecter les recommandations en protéines les plus conservatrices, fixées à 10 % du total des calories ingérées, on en arrivera à la conclusion qu'une femme de taille moyenne devrait manger de 45 à 50 g de protéines par jour, et un homme, de 55 à 60 g par jour. Pour ce qui est des végétariens, on leur recommande d'augmenter un peu leur apport protéique quotidien, en raison de leur grande consommation de fibres, substances qui entravent quelque peu l'assimilation ou la digestibilité des protéines. On ajoute ainsi au besoin en protéines des végétariens un léger extra de 10 %.

La grande majorité des Nord-Américains non végétariens dépassent toutes les marges de sûreté établies; en fait, ils consomment, sans même s'en rendre compte, au-delà du double de la quantité de protéines nécessaire pour

Apport nutritionnel recommandé par jour (Canada et États-Unis)

Besoins en protéines pour un adulte de taille moyenne	Femmes: 45-50 g Hommes: 55-60 g	10 % des calories consommées
Pour les **VÉGÉTARIENS**, on ajoute 10 %, en raison de leur grande consommation de fibres, qui réduisent un peu la digestibilité des protéines	Femmes: 50-55 g Hommes: 60-66 g	11 % des calories consommées

combler leurs besoins maximaux. Même les végétariens mangent habituellement plus de protéines qu'il ne leur en faut. Pour le confirmer, voici deux exemples de menu (page suivante). Le premier est celui d'une femme qui mange en respectant le Guide alimentaire et qui fait très attention à sa consommation de gras, et le deuxième est une version végétarienne de ce type de menu.

Dans le menu carné, on obtient une quantité de protéines qui correspond à plus du double des besoins (245 %), évalués selon l'échelle la plus conservatrice; dans le menu végétarien, on les dépasse du tiers (135 % des besoins).

VRAI OU FAUX?

Les protéines végétales sont moins complètes que les protéines animales.

FAUX

Malheureusement, on pense encore que les protéines animales sont supérieures aux protéines végétales; c'est d'ailleurs l'un de nos plus grands mythes en ce qui concerne l'alimentation, et on le traîne depuis le début du XXe siècle. Laissez-moi vous donner un petit cours d'histoire.

• En 1914, deux chercheurs, Osborn et Mendel, étudient les besoins en protéines des rats. Ils constatent que les rats grossissent davantage lorsqu'on les nourrit de protéines de source animale que lorsqu'ils mangent des protéines de source végétale. Les chercheurs en concluent que les protéines végétales sont déficientes. On estime donc que les viandes, les œufs et les produits laitiers offrent des protéines de qualité supérieure, qu'on range dans la «classe A». Les végétaux, pour leur part, sont considérés comme inférieurs et sont censés offrir des protéines de «classe B».

• En 1940, on découvre que sur les 20 acides aminés existant, 10 sont essentiels au rat. Pour ceux qui ne le savent pas, les acides aminés sont les constituants des protéines; une protéine est en fait une longue chaîne

Menu carné faible en gras			
	Calories	**Gras (g)**	**Glucides (g)**	**Protéines (g)**
Céréales	180	0	46	6
Lait 1 %	153	3,9	17,5	12
Jus d'orange	111	0,5	25,8	1,7
115 g (4 oz) poulet blanc	170	3,4	0	32,4
250 ml (1 tasse) riz	216	1,8	44,8	5
250 ml (1 tasse) brocoli	44	0,6	8	4,6
Yogourt	194	2,8	31,3	11,2
60 g (2 oz) fromage 15 %	144	9	1,9	13,8
1 pomme	81	0,5	21,1	0,3
115 g (4 oz) morue	118	0,9	0	25,9
1 pomme de terre	220	0,2	51	4,7
250 ml (1 tasse) haricots	44	0,4	9,8	2,4
verts	61	1,1	11,4	2,4
1 tranche de pain brun	1 736	25,1 g	268,7 g	122,5 g
TOTAL				(besoins: 50 g)
				28 % des calories
				(besoins: 10 %)

Menu végétarien			
	Calories	**Gras (g)**	**Glucides (g)**	**Protéines (g)**
Céréales	180	0	46	6
250 ml (1 tasse) lait soya	120	7,1	6,5	9,9
Jus d'orange	111	0,5	25,8	1,7
125 ml (½ tasse) pois chiches	134,5	2,2	22,5	7,3
250 ml (1 tasse) riz	216	1,8	44,8	5
250 ml (1 tasse) brocoli	44	0,6	8	4,6
2 tranches de pain brun aux raisins et aux pommes	173	2,1	35	4,2
60 g (2 oz) amandes	170	14,2	5,7	5,9
1 pomme	81	0,5	21,1	0,3
125 ml (½ tasse) tofu grillé	183	11	5,4	19,9
1 patate	220	0,2	51	4,7
Haricots verts	44	0,4	9,8	2,4
1 tranche de pain brun	61	1,1	11,4	2,4
TOTAL	1738	41,7 g	293 g	74,3 g
				(besoins: 55 g)
				17 % des calories
				(besoins: 11 %)

87

d'acides aminés attachés les uns aux autres. On dit qu'un acide aminé est essentiel quand le corps est incapable de le synthétiser lui-même. Il devient alors essentiel de se le procurer par l'alimentation. La viande, les œufs et les produits laitiers étaient réputés pour contenir les proportions idéales en acides aminés essentiels pour assurer la croissance optimale des rats. La viande devient donc, à cette époque, le «standard» auquel on compare les aliments de source végétale. À côté de la viande, le riz et le blé sont donc considérés déficients.

- À partir de 1940, certaines personnes commencent à remettre en question le fait de présumer que les besoins des humains sont identiques à ceux des rats. Après tout, nous ne sommes pas des rats! À cette époque, personne ne connaît encore les réels besoins en acides aminés des humains.

- Ce n'est qu'en 1952 que le Dr Rose et son équipe de chercheurs complètent une longue série d'études qui ont pour but de déterminer les besoins en protéines de l'humain. ENFIN! Le Dr Rose découvre alors que huit acides aminés sont essentiels à l'être l'humain, et non dix, comme c'est le cas pour les rats. Grâce à ses études, il détermine nos réels besoins en acides aminés et se rend compte qu'ils sont beaucoup moins élevés que ceux des rats!

Végétaux et acides aminés

Les spécialistes en nutrition savent aujourd'hui que les végétaux (légumes, céréales, noix, graines et légumineuses) contiennent tous les acides aminés essentiels et non essentiels. Et si on mange à notre faim une variété de végétaux, on obtiendra sans problème les protéines dont notre corps a besoin pour construire et réparer ses tissus.

Si l'on mange assez de calories, les végétaux nous permettent assurément de combler nos besoins en protéines, à moins:

- de manger beaucoup d'aliments sans valeur nutritive: bonbons, aliments frits, alcool, pâtisseries, boissons gazeuses, etc.;
- de manger surtout des fruits;
- de baser son alimentation sur des plantes très pauvres en protéines (par exemple, le manioc, qui contient seulement 2 % de protéines);
- d'être un nourrisson et de ne consommer que des céréales et des légumes; le système digestif du bébé n'est pas encore mature, il a besoin du lait maternel.

La supériorité des végétaux

Que les acides aminés proviennent des plantes ou des animaux, ils ont tous la même constitution. D'ailleurs, les acides aminés qu'on trouve dans tous les aliments de source animale sont d'origine végétale, car les animaux ont dû manger des plantes pour se les procurer. Rappelez-vous que ni les animaux ni les humains ne peuvent synthétiser les acides aminés essentiels: ils doivent les puiser dans le règne végétal, car les végétaux, eux, les contiennent TOUS. Pourquoi passer par quatre chemins et utiliser les animaux comme intermédiaires quand on peut prendre un chemin plus direct et manger des végétaux?

> **Sans les végétaux, les animaux et les humains ne pourraient pas produire de protéines.**
>
> *Les animaux et les humains ont besoin des végétaux, mais l'inverse n'est pas vrai.*

VRAI OU FAUX?

Pour obtenir des protéines complètes, les adultes doivent combiner attentivement les protéines végétales.

FAUX

On sait maintenant que c'est faux. Au début des années 70, à l'époque où le végétarisme commençait à devenir populaire, Frances Moore Lappe a publié le livre *Sans viande et sans regrets*. Elle expliquait dans cet ouvrage comment combiner les protéines végétales pour obtenir une proportion d'acides aminés semblable à celle offerte par les produits animaux, qui étaient considérés à l'époque – à tort! – comme le summum des protéines. C'était tellement compliqué! Pour planifier nos repas, il nous fallait des tables, des balances, et presque un baccalauréat en algèbre! Quelques années plus tard, Mme Lappé a compris, après avoir poussé ses recherches plus loin, que les protéines animales ne valent pas mieux que les protéines végétales et qu'on n'a pas à s'en servir comme modèles. Le principe de complémentarité des protéines qu'elle avait élaboré n'était, par conséquent, plus nécessaire. Dans la nouvelle édition de son livre, elle avoue s'être trompée: «En combattant le mythe selon lequel la viande était la seule source de protéines de qualité, j'ai nourri un autre mythe. J'ai donné l'impression que, pour obtenir assez de protéines sans manger de viande, il fallait choisir ses aliments avec grand soin. En fait, c'est beaucoup plus facile que je ne le pensais… J'ai donc contribué à créer un nouveau mythe…»

À RETENIR

Nous n'avons pas à nous préoccuper de notre apport en protéines; notre seule tâche consiste à manger à notre faim une belle variété de végétaux. Notre corps sera alors comblé.

> **VRAI OU FAUX?**
> Pour éviter l'ostéoporose,
> il faut manger plus
> de calcium, donc plus
> de produits laitiers.

FAUX

C'est ce qu'on entend dire dans certains messages publicitaires à la télé, à la radio ou dans les magazines. Par contre, si on se fie à la réalité, on s'aperçoit que les pays du monde où l'on consomme le plus de produits laitiers sont ceux qui détiennent les incidences d'ostéoporose records. Ce qu'on oublie de dire, c'est que le fait de consommer beaucoup de protéines joue un rôle important dans l'apparition de la maladie, plus encore que le manque de calcium. On sait maintenant que plus on mange de protéines, plus on perd de calcium et, par conséquent, de masse osseuse. Les Inuits, par exemple, qui consomment des quantités impressionnantes de protéines, soit de 250 à 400 g par jour, ont une des incidences d'ostéoporose les plus élevées de la planète, malgré leur apport important en calcium (2 000 mg/jour), soit le double des recommandations actuelles. À l'opposé, les populations bantoues d'Afrique ont un taux d'ostéoporose presque nul; quand on analyse leur alimentation, on constate qu'ils consomment seulement 400 mg de calcium par jour, nettement moins que ce qui est prescrit en Amérique du Nord. Leur secret réside dans leur faible consommation de protéines (47 g/jour), qui leur permet de mieux conserver le calcium dans leur organisme.

Le métabolisme des protéines produit des résidus acides et diurétiques, et il contribue à faire perdre des quantités importantes de calcium par l'urine (pour plus de détails, voir le chapitre sur les os).

Protéines et pierres aux reins

Tout le calcium qui est évacué à la suite d'une consommation excessive de protéines se retrouve dans l'urine, donc dans le système urinaire. Cela contribue à la formation de pierres aux reins. Les pierres aux reins faites de calcium sont celles qu'on trouve le plus fréquemment dans les pays riches (d'argent… et de protéines). D'ailleurs, ce sont les gros mangeurs de viande qui souffrent le plus souvent de pierres aux reins.

Protéines et problèmes rénaux

Les déchets engendrés par une alimentation trop riche en protéines ne disparaissent pas comme par enchantement. Les reins doivent travailler fort pour s'en débarrasser. L'excès de protéines semble donc jouer un rôle dans la destruction du tissu rénal et dans la détérioration progressive des fonctions rénales.

Protéines et goutte

Les aliments riches en protéines contiennent généralement beaucoup de purines (matériel primaire du code génétique ADN, ARN). Les purines, une fois dégradées, forment de l'acide urique qui, en s'accumulant dans les articulations, peut provoquer de la goutte, un type d'arthrite déformante très douloureuse. Est-ce cela qui a valu son nom à la maladie? En effet, quand on en souffre, on y «goûte»…

L'acide urique concentré dans le système urinaire peut aussi mener à la formation de pierres aux reins (composées d'acide urique) chez les personnes prédisposées à ce type de problème.

Protéines et maladies cardiaques

On savait déjà qu'il est important de contrôler le taux de cholestérol, l'hypertension, le diabète, l'obésité et le tabagisme si l'on veut prévenir les maladies cardiaques. Aujourd'hui, on a découvert qu'un nouvel élément joue un rôle important dans l'apparition de ce type de maladies: il s'agit de l'homocystéine, un acide aminé présent dans le sang et qui, s'il s'y trouve en quantité excessive, endommage les vaisseaux sanguins. Et ce ne sont pas les coupables habituels – gras, sucre ou sel – qui font augmenter le taux d'homocystéine sanguin, mais bien une consommation excessive de protéines, particulièrement animales.

Protéines et perte de poids

Les régimes qui prônent une alimentation riche en protéines sont très prisés par les adeptes de l'amaigrissement. Leurs promoteurs promettent une perte de poids rapide, et c'est effectivement ce qui se produit. Ce qu'on oublie volontairement de nous dire, par contre, c'est qu'une grande partie du poids perdu est constitué d'eau. Les premiers jours, on peut perdre jusqu'à 3,6 kg (8 lb) d'eau, à cause de l'effet diurétique de l'urée et de la perte des réserves de glycogène (réserves de sucre musculaire). De plus, lorsque les glucides sont réduits à moins de 15 %, une quantité importante de corps cétoniques se forme et s'accumule dans l'organisme. Cela provoque une diminution importante de l'appétit, principe similaire à ce qui se produit quand on est atteint d'une maladie grave. Malheureusement, les corps cétoniques peuvent causer, à court et à long terme, des problèmes de santé tels que des nausées, des étourdissements, des problèmes de sommeil, de la fatigue et des dommages aux reins et au foie. On constate donc que les régimes amaigrissants aux protéines peuvent être efficaces, mais à quel prix?

VRAI OU FAUX?

Quand on fait beaucoup de sport, on a besoin de beaucoup plus de protéines.

FAUX

C'est une croyance encore très répandue, si l'on se fie à la quantité de poudres de protéines qui remplissent les tablettes dans les centres sportifs. Les gens qui font beaucoup de sport ont besoin d'un peu plus de protéines que les autres pour assurer la régénération de leurs muscles, qui subissent parfois des blessures au cours des entraînements. En réalité, les sportifs n'ont pas besoin d'obtenir plus de 15 % de leurs calories quotidiennes par le biais des protéines. En outre, ils mangent généralement plus que la moyenne des gens, ce qui les amène nécessairement à consommer un peu plus de protéines. Ce léger surplus est amplement suffisant pour combler leurs besoins. À vrai dire, le carburant que recherchent les sportifs bien documentés, ce sont les glucides. On les verra d'ailleurs souvent avaler une assiette de pâtes alimentaires avant un entraînement, plutôt que de manger un gros steak comme le faisaient leurs prédécesseurs moins bien renseignés.

Bibliographie

WEISBURGER, J., «Eat to Live, not Live to Eat». *Nutrition*, 16, 2000, p. 767–773.

ST JEOR, S., HOWARD, B. et PREWITT, E. «Dietary Protein and Weight Reduction: a Statement for Healthcare Professionals from the Nutrition Committee of the Council on Nutrition, Physical Activity, and Metabolism of the American Heart Association». *Circulation*, 104, 2001, p. 1869-1874.

ROSE, W. «The Amino Acid Requirement of Adult man». *Nutr Abst Rev*, 27, 1957, p. 631-647.

PENNINGTON, J. *Bowes' & Church's Food Values of Portions Commonly Used*, 17e éd., Philadelphie, Penn. Lippincott; 1998.

IRWIN, M. et HEGSTED, D. «A Conspectus of Research on Protein Requirements of Man». *J Nutr,* 101, 1971, p. 385-428.

LAPPE, F.M. *Diet for a Small Planet,* édition du 10ᵉ anniversaire, New York, Ballantine Books, 1982.

«Position of The American Dietetic Association: Vegetarian Diets». *J Am Diet Assoc,* 97, 1997, p. 1317-1321.

Le végétarisme pour les femmes… et les hommes

Patricia Tulasne

Dans cette section
La puberté précoce
Le syndrome prémenstruel
La ménopause
La femme enceinte
L'andropause
Le végétarisme pour les femmes… et les hommes

Les hormones sont des messagères chimiques secrétées par un organe ou une glande qui exerce une action spécifique sur un autre tissu ou un autre organe.

Les hormones jouant un rôle dans le cycle menstruel féminin proviennent de 4 sources différentes:

- L'hypothalamus, qui est en quelque sorte l'ordinateur du système neuro-végétatif et endocrinien. Son rôle est de coordonner les fonctions vitales de l'organisme: la faim, la soif, le sommeil. Il participe également à l'équilibre psychologique et à la régulation du cycle menstruel.

- L'hypophyse, qui libère un grand nombre d'hormones, dont l'hormone follico-stimulante (FSH) et l'hormone lutéinisante (LH).

- Les ovaires, qui produisent la progestérone et l'œstrogène et jouent un rôle direct dans la procréation, en libérant chaque mois un ovule. Si cet ovule n'est pas fécondé, la muqueuse de l'utérus se désagrège et est expulsée du corps sous forme de flux menstruel, cycle établi à 28 jours, mais dont la fréquence peut varier selon les femmes. Entre l'âge de la puberté (vers 14 ans) et la ménopause (vers 51 ans), une femme aura près de 450 menstruations.

94

• Les glandes surrénales, qui sécrètent, outre les hormones de stress connues sous le nom d'adrénaline et de noradrénaline, d'autres hormones comme l'œstrogène et la testostérone.

Toutes les hormones qui contrôlent le cycle menstruel sont interreliées et travaillent ensemble pour assurer le fonctionnement normal du cycle. Toutefois, alors que le cycle menstruel est un phénomène naturel qui devrait être parfaitement intégré dans la vie de la femme, il est considéré comme une épreuve douloureuse par plusieurs d'entre nous.

Les hormones en folie

On ne peut s'empêcher de remarquer que les adolescents d'aujourd'hui sont beaucoup plus grands que nous ne l'étions à leur âge, et que les adolescentes arborent des poitrines beaucoup plus volumineuses que celles des jeunes femmes de la génération précédente. Selon une étude récente publiée par le magazine *Pediatrics,* un nombre alarmant de fillettes manifestent des signes de puberté précoce. Vers l'âge de 8 ans, aux États-Unis, 50 % des filles de race noire et 14,7 % des blanches ont déjà des seins et des poils pubiens. À ces symptômes physiologiques s'ajoute un bouleversement psychologique dû à une activité hormonale trop intense.

Au banc des accusés, on trouve les xénoestrogènes, des substances chimiques dont la structure moléculaire ressemble tellement à celle de nos œstrogènes qu'elles en modifient l'équilibre. Mais notre alimentation est également suspecte: la viande que nous mangeons contient des résidus d'hormones de croissance et notre régime est beaucoup trop riche en gras animal. On sait aujourd'hui que la puberté se déclenche dès que le taux de gras atteint 25 % de la masse corporelle. On comprend mieux pourquoi elle est si fréquente en Amérique du Nord, royaume de la suralimentation.

Le syndrome prémenstruel

Quelle femme peut se payer un petit accès de mauvaise humeur, ou simplement mettre son poing sur la table sans qu'un homme lui demande si elle est menstruée? Il est vrai que le syndrome prémenstruel (SPM), qui touche, en Occident, 77 % des femmes, peut bouleverser de façon significative l'humeur de ses victimes.

Le SPM est un ensemble de troubles émotionnels et physiques, provoqués par un déséquilibre hormonal, et qui se manifestent à peu près au milieu du cycle menstruel pour persister jusqu'à l'apparition des règles. Les symptômes du SPM présentent des similitudes avec ceux de la périméno-pause: crampes douloureuses, grande fatigue, épisodes dépressifs, rétention d'eau, problèmes d'appétit.

Dans un cycle normal, le niveau d'œstrogènes dans le sang augmente jusqu'à l'ovulation. Par la suite, il tend à baisser et le niveau de progestérone commence à s'élever. Si votre corps produit et métabolise la bonne quantités d'hormones au bon moment, vous n'aurez pas de SPM. Cependant, si vous souffrez d'une déficience en vitamines, en minéraux, en acides gras essentiels, ou si vous êtes soumise à un stress important, vous ouvrez la porte aux manifestations du syndrome pré-menstruel. Selon certaines études, tout porterait à croire que les femmes qui ont des périodes menstruelles difficiles auront également une ménopause difficile.

On sait aujourd'hui qu'une carence en vitamine B6 nuit à la production d'œstrogènes, et affecte le production de sérotonine, responsable du bien-être, et de la mélatonine, qui régularise le sommeil.

De plus, la vitamine B6 est néces-saire à la bonne assimilation du magné-sium. Ensemble, ils aident à convertir les acides gras essentiels en prostaglan-dines. Il existe une douzaine de sortes de prostaglandines: les acides gras essen-tiels contenus dans l'huile de canola, de chanvre ou de soya, les graines de lin moulues, les graines de citrouille, les noix de Grenoble et le tofu se con-vertissent en «bonnes» prostaglandines.

Les bonnes prostaglandines aident à régulariser les contractions musculaires et à prévenir les crampes utérines. À l'inverse, les gras saturés des viandes et des produits laitiers peuvent augmenter le niveau des «mauvaises» prostaglan-dines, et causer un inconfort utérin, la formation de caillots sanguins, et des changements d'humeur.

Indubitablement, pour prévenir le syndrome prémenstruel, une bonne ali-mentation s'impose: il importe d'avoir suffisamment de vitamine B6, de magné-sium et d'acides gras essentiels, conte-nus dans les produits céréaliers non raffinés (riz brun, millet, germe de blé…), les fruits (banane, cantaloup…), les légumes (pommes de terre, légumes verts…), les légumineuses (pois chi-ches, lentilles…), les noix et les graines, les huiles de canola ou de soya. Les hy-drates de carbone complexe (pâtes de blé entier, riz brun…) augmentent le taux de sérotonine, dont l'action re-monte le moral. Par contre, la caféine et le sucre sont les ennemis de la vitamine B6. Quant aux produits laitiers, ils peu-vent nuire à l'absorption du magnésium et causer des crampes utérines. L'alcool, pour sa part, empêche la production de quantités suffisantes d'œstrogènes. Pour tous ces aliments, un seul slogan: la mo-dération a bien meilleur goût!

La périménopause

Les symptômes de la périménopause (appelée autrefois préménopause) commencent à se manifester vers l'âge de 45 ans et durent de 4 à 5 ans. Pendant cette période, certaines femmes constatent que leur cycle menstruel devient irrégulier, soit trop court soit trop long. Elles se plaignent de fatigue, de douleurs aux seins, d'œdèmes, d'insomnies, de bouffées de chaleur, de migraines, de douleurs articulaires… Toutes ces irrégularités sont les indices d'un déséquilibre hormonal (trop de progestérone, pas assez d'œstrogènes, ou l'inverse) qui va s'accentuer plus on approche de la ménopause: les épisodes d'insuffisance œstrogéniques vont devenir de plus en plus fréquents jusqu'à disparaître totalement.

La ménopause

La ménopause est l'arrêt définitif de l'ovulation et des menstruations, et survient en moyenne à l'âge de 51 ans. En Occident, de 10 à 15 % des femmes traversent cette période sans ressentir aucun malaise. Les autres ressentiront des désagréments de plus ou moins forte intensité. Parmi ceux-ci, les fameuses bouffées de chaleur qui prennent naissance au creux de l'estomac et s'étendent rapidement vers le visage, donnant brusquement l'impression d'être plongée dans une étuve. L'onde de chaleur s'accompagne toujours d'une transpiration abondante, qui vous laisse frigorifiée dès qu'elle a disparu. Les suées nocturnes sont parfois si importantes qu'elles vous obligent à changer les draps! Ces bouffées de chaleur peuvent persister pendant des années.

Parmi les autres symptômes associés à la ménopause, on peut citer les douleurs articulaires et musculaires, l'ostéoporose, la sécheresse cutanée, la sécheresse vaginale, les insomnies, les troubles de concentration et de mémoire, les sautes d'humeur, la prise de poids, la perte de la libido, la dépression, l'aggravation du risque de maladies cardiovasculaires, l'aggravation du risque du cancer du sein, le cancer du côlon, le cancer de l'utérus… La liste semble interminable.

Pour soulager ces symptômes, la médecine traditionnelle recommande aux femmes de suivre une hormonothérapie, qui consiste à remplacer par des hormones synthétiques (œstrogène et progestérone) celles qui ne sont plus sécrétées par les ovaires. Ce traitement préviendrait également l'ostéoporose, le cancer de l'utérus et les maladies cardiaques.

Au Québec, près de 40 % des femmes reçoivent des hormones au début de leur ménopause. Mais une étude publiée en juillet 2002 dans le journal de l'American Medical Association faisait état d'inquiétants résultats: l'hormonothérapie provoquerait un accroissement du risque d'accidents vasculaires cérébraux de 41 % et d'infarctus de 29 %.

Cette étude réalisée auprès de 16 000 femmes ménopausées âgées de 50 à 79 ans a été interrompue, parce qu'on a découvert que le risque du cancer du sein avait augmenté de 26 % chez les sujets ayant reçu la combinaison d'hormones de synthèse, comparativement à celles qui avait reçu un placebo. De plus, de nombreux effets secondaires accompagnent souvent les traitements hormonaux de substitution: nausées, sensibilité des seins, saignements, fluctuations de l'humeur, sensations de gonflement. Dans beaucoup de cas, le traitement hormonal est carrément contre-indiqué.

Y a-t-il une solution?

Si vous voulez échapper aux symptômes de la ménopause, déménagez au Japon! Là-bas, les bouffées de chaleur n'existent pas. Seules 10 % des Japonaises seraient sensibles aux variations thermiques, contre 60 % des femmes occidentales. On n'a jamais entendu parler non plus de syndrome prémenstruel. Le nombre de cancers du sein, de l'utérus et des ovaires est bien plus faible en Asie qu'en Occident. Il en est de même pour les maladies cardiovasculaires.

Par contre, on a observé de façon incontestable que ces risques augmentent dès que la diète des Asiatiques s'occidentalise.

L'explication de leur bonne santé résiderait donc dans leur alimentation. Or, que consomment quotidiennement en quantité industrielle les Orientaux? Du soya, sous toutes ses formes! Le soya serait donc l'agent protecteur de ceux qui le consomment. On a longtemps pensé que les Orientaux devaient leur bonne santé à leur alimentation faible en gras et riche en fibres. Aujourd'hui, on a découvert que les phytoestrogènes y étaient aussi certainement pour quelque chose.

Un aliment miracle

Les fèves de soya contiennent un trésor: les isoflavones, encore appelées phytoestrogènes, et qui ressemblent à s'y méprendre aux œstrogènes du corps humain. Selon les récepteurs cellulaires sur lesquels ils se fixent, ils viennent renforcer ou contrecarrer les actions des œstrogènes naturels. C'est pourquoi les phytoestrogènes sont si efficaces pour freiner, par exemple, le développement des cellules cancéreuses du sein, cancer hormonal par excellence.

Parmi les autres qualités du soya, notons sa très grande richesse en protéines (des protéines plus profitables que celles contenues dans la viande), en calcium, en fibres, en acides gras essentiels, en lécithine (un phospholipide très important pour le bon fonctionnement du système nerveux.) La docteure Margo Woods, qui poursuit des recherches sur le rôle du soya dans le soulagement des symptômes liés à la ménopause, a pu faire l'observation suivante:

«Les femmes orientales décrivent leur expérience de la ménopause de manière si radicalement différente de celle des Occidentales qu'on est en droit de se demander si elles parlent vraiment de la même chose. Les femmes japonaises, précise-t-elle, consomment entre 75 et 150 grammes de tofu par jour.

Les phytoestrogènes joueraient également un rôle dans le maintien de la densité osseuse, en retardant ou en prévenant le développement de l'ostéoporose chez les femmes ménopausées.»

N'hésitez pas à faire consommer du soya à vos enfants dès leur plus jeune âge. Car ce n'est qu'à long terme qu'une alimentation riche en phytoestrogènes peut faire la différence. Ils en retireront des bénéfices de la puberté jusqu'à la fin de leur vie. Voici une excellente façon de commencer une journée: faites vous un *smoothie aux fruits et à la boisson de soya.*

- Dans un mélangeur, verser:
  - 250 ml (1 tasse) de fraises coupées en deux (ou de framboises, au goût)
  - 45 ml (3 c. à soupe) de bleuets
  - 75 g (2 1/2 oz) de tofu soyeux (nature ou aromatisé à la vanille)
  - 30 ml (2 c. à soupe) de graines de lin moulues
  - 1 banane en rondelles
  - le jus d'un citron
  - 15 m l (1 c. à soupe) de germe de blé
- Recouvrir de boisson de soya [environ 250 ml (1 tasse), nature ou aromatisée à la vanille]
- Mélanger le tout. Boire frais [donne 500 ml (2 tasses)].

Si vous voulez un *smoothie* plus froid, vous pouvez utiliser des fruits congelés. Si vous voulez une boisson plus légère, utilisez seulement du soja soyeux (nature ou aux fruits), de la boisson de soya et les fruits (frais ou congelés) dont vous avez envie (kiwis, fraises, framboises, etc.).

Le saviez-vous?

Le tofu est fabriqué avec de la boisson de soya. Il peut se transformer et on peut l'utiliser sous diverses formes. Le tofu mou ou soyeux, qui se liquéfie au mélangeur, peut remplacer la crème sure, le yogourt et les fromages frais. Il peut servir à la préparation de trempettes, de vinaigrettes, de *smoothies,* ou de sauces. Il constitue un bon substitut de la crème et peut être mélangé à des soupes, ou servir de base pour des flans. Le tofu ferme peut se trancher ou se couper en dés ou en lanières; il est savoureux frit à l'huile ou grillé pour obtenir une croûte croquante et dorée. Si vous faites partie de ceux qui pensent que le tofu n'a aucun goût, dites-vous qu'un morceau de viande cru et non assaisonné n'est pas vraiment meilleur! On peut faire griller le tofu, le faire sauter ou le pocher. Le tofu a la capacité d'absorber d'autres saveurs: on peut le faire mariner pour lui donner un goût plus prononcé, ou l'assaisonner avec différentes épices. (Voir le tofu dans la section recettes.)

Le saviez-vous?

Les graines de lin sont riches en phytoestro-gènes (lignanes) et en oméga-3, un acide gras essentiel qui a des propriétés anti-inflammatoires, anti-cancer et qui protège des maladies cardiaques.

Le saviez-vous?

Le Premarin, une hormone de substitution, est fait à partir d'urine de juments gestantes, enfermées pendant toute leur vie avec un ré-cupérateur d'urine en caoutchouc fixé entre leurs cuisses. Leurs poulains sont vendus pour la viande.

Pour bien vivre sa ménopause, il faut tout d'abord prendre soin de soi, cesser de fumer, réduire sa consommation de café, de sel, d'alcool, faire de l'exercice et revoir complètement son alimentation. Trop peu d'études sérieuses ont été réa-lisées sur l'impact que pourrait avoir l'adoption d'un régime végétarien pour contrer les effets indésirables du syn-drome prémenstruel et de la ménopause, mais les experts s'accordent à dire qu'une alimentation riche en phytoestrogènes, en fruits, en légumes, en légumineuses, en fibres, en céréales complètes et pauvre en gras animal (qui stimule la produc-tion d'hormones et joue un rôle essentiel dans la formation de cancers) peut ren-dre la ménopause plus supportable, et prévenir de façon significative les ma-ladies de la cinquantaine.

Le saviez-vous?

La vitamine E est préconisée pour soulager les bouffées de chaleur. Elle est beaucoup plus abondante dans les aliments d'origine végétale que dans ceux d'origine animale. On la trouve principalement dans l'huile de tour-nesol, le germe de blé, les amandes, le soya, les noix, l'avocat, les framboises, les épi-nards et l'huile d'olive.

La femme enceinte

Pendant la grossesse, le besoin en nutri-ments essentiels augmente. Par exemple, une femme enceinte a besoin de plus de calcium (au moins quatre portions d'aliments riches en calcium), de pro-téines (30 % de plus qu'en temps nor-mal), de fer (un supplément durant la deuxième moitié de la grossesse peut se révéler nécessaire). Elle doit porter une attention particulière à la vitamine D et à la vitamine B$_{12}$. Mais elle n'a be-soin en principe que de 300 calories supplémentaires. Il est donc primor-dial pour la femme enceinte de manger des aliments riches en nutriments, mais pauvres en gras et en sucre, afin d'éviter l'excédent de poids. Une diète végétarienne composée d'aliments com-plets constitue un bon choix alimen-taire pour la femme enceinte.

Voici un exemple de menu élaboré par la nutitionniste Constance Dunbar, associée au PCRM (Physicians com-mittee for responsible medicine).

Déjeuner

- Céréales avec fruits et boisson de soya enrichie
- Toast avec beurre d'arachide (ou beurre d'amande)
- Jus de fruit frais

Dîner

- Tartinade de tofu sur pain de blé entier
- Salade composée avec huile d'olive et jus de citron
- 1 banane

Souper

- Casserole de riz et lentilles aux tomates (additionnée de levure de bière)
- Brocoli cuit
- Salade d'épinard
- Boisson de soya enrichie

Collation

- Noix mélangées et raisins secs
- Fruits secs (abricots, pruneaux…)
- *Tofu shake* avec fruits

Et les hommes, dans tout ça?

Les hommes ont longtemps cru que les troubles de la cinquantaine étaient réservés aux femmes. Erreur, grossière erreur! Ce n'est que récemment que le mot «andropause» est apparu dans notre vocabulaire. Les hommes subissent eux aussi des changements hormonaux importants qui se manifestent par une fatigue accrue, des sautes d'humeur, un accroissement du poids, une dégénerescence de leurs fonctions sexuelles, et une détérioration organique générale, qu'accompagne un lot de maladies comme le diabète, les maladies cardiaques et les cancers.

La grande préoccupation de l'homme de plus de 50 ans est bien évidemment sa prostate. Organe spécifique à l'homme, la prostate, située entre le pubis et le rectum, entoure l'urètre à la base de la vessie. Elle est constituée de fibres musculaires lisses, de tissus spongieux, de canaux et de glandes. Sa principale fonction est de secréter la plus grande partie du sperme dans laquelle circulent les spermatozoïdes. Le sperme est formé par le liquide prostatique qui se mêle à celui des vésicules séminales situées de chaque côté de la prostate, et aux spermatozoïdes expulsés des testicules dans les canaux déférents.

La prostate a environ la taille d'une châtaigne et est recouverte d'une mince membrane appelée capsule. Elle atteint sa taille adulte vers l'âge de 20 ans, et demeure stable jusqu'à l'âge de 45 ans, pour ensuite recommencer à grossir. L'homme adulte peut être affecté par trois types de maladie liées à sa prostate:

- L'inflammation, ou prostatite, plus répandue chez les hommes de 25 à 45 ans, souvent d'origine bactérienne.

- L'hyperplasie bénigne, qui se produit vers l'âge de 45 ans, au centre de la glande, provoquant un excès de tissu prostatique qui comprime l'urètre et peut causer des problèmes urinaires.
- Le cancer, plus courant après 50 ans, qui est causé par une croissance anormale des tissus cellulaires se développant dans la partie périphérique de la prostate.

Le cancer de la prostate est le cancer le plus fréquemment diagnostiqué chez les hommes canadiens. Cette année, environ 18 200 Canadiens recevront un diagnostic de cancer de la prostate, et environ 4 300 d'entre eux succomberont à cette maladie. Des études publiées par des chercheurs de la Harvard Medical School et la Harvard School of Public Health ont démontré que les hommes qui consommaient beaucoup de matières grasses étaient deux fois plus susceptibles d'être atteints d'un cancer de la prostate que ceux qui en consommaient moins. En effet, les matières grasses augmentent la production de testostérone, qui se transforme dans les cellules prostatiques en dihydrotestostérone (DHT), laquelle accélère la prolifération des cellules prostatiques cancéreuses. D'autre part, il est prouvé qu'augmenter sa consommation de fruits et légumes peut considérablement réduire le risque de maladies de la prostate, particulièrement le cancer.

Par exemple, le lycopène de la tomate, antioxydant qui lui donne sa couleur rouge, est très efficace pour protéger les cellules des effets des radicaux libres risquant de les endommager.

D'après une étude effectuée sur 48 000 hommes, ceux qui consomment 10 portions ou plus de produits à base de tomates par semaine présentent le plus faible risque de cancer de la prostate, trois fois moins que ceux qui en consomment peu ou pas du tout.

L'ail, le chou, le brocoli, le navet auraient également des propriétés bénéfiques pour entraver les effets des substances cancérigènes.

On a constaté également qu'une alimentation riche en fibres (céréales complètes et légumineuses) contribuait à réduire le risque de cancer de la prostate en diminuant légèrement les taux d'hormones de reproduction dans l'organisme. Enfin, les isoflavones de soya, en plus de contrôler le cancer de la prostate, réduiraient le risque d'hyperplasie bénigne et aideraient à réduire les taux de cholestérol. Un petit bonus pour les hommes qui choisissent de devenir végétariens: leurs artères propres et leur bonne circulation sanguine vont leur garantir la bonne qualité de leurs performances sexuelles.

Et enfin, l'argument massue qui va vous convaincre, messieurs, d'abandonner votre mâle et sempiternel steak-frites bourré de gras saturés: sachez qu'en réduisant votre consommation de gras animal et en mangeant du soya, plus de végétaux et de fibres, vous retarderez et même éviterez la perte (si mal vécue par beaucoup d'entre vous) de vos cheveux. Car c'est la testostérone (sous forme de DHT) qui en est la principale responsable. Alors, qu'est-ce qu'on mange, ce soir?

Bibliographie

BARNARD, Neal, M.D. *Eat right, live longer*, Harmony Books Ed., New York, 1995.

PROULX-SAMMUT, Lucette. *La ménopause, mieux comprise, mieux vécue*, Edimag, Montréal, 1992.

ELIA, Dr David. *50 ans au naturel*, Éd. Robert Laffond, Paris, 2001.

Rubin, Dr Maurice. *Comment préserver votre santé et votre vitalité à partir de 45 ans*, Éd. Albin Michel, Paris, 1994.

Collectif. *Guérir grâce aux vitamines*, Éd. Rodale, Paris, 1996.

«Ménopause: gare à la thérapie hormonale», *Le Devoir*, Montréal, juillet 2002.

Physicians commitee for responsible medecine (PCRM), htpp://pcrm.org

Barrett, Dr David M. *Les maladies de la prostate*, Éd. Lavoie et Broquet, Montréal, 2000.

Le végétarisme pour perdre du poids

Anne-Marie Roy, diététiste-nutritionniste

Dans cette section

Faits troublants sur l'obésité

Les multiples raisons de l'accroissement du poids

Les solutions qui s'imposent

En ce moment, c'est-à-dire en 2003, année où paraît ce livre, la planète a franchi une étape critique; croyez-le ou non, il y a autant de personnes qui ont un excès de poids sur cette terre que de personnes qui souffrent de la faim. Dans les deux cas, ce sont des conditions qui mènent à la malnutrition. L'industrialisation d'un pays sauve ses habitants de la faim, mais les conduit vers l'autre extrême, la surconsommation. L'enrichissement ne fait pas disparaître les problèmes de santé non plus; les maladies de carence se transforment en maladies d'excès (diabète, hypertension, maladies cardiaques, cancers…).

De gros chiffres

Au cours des dernières décennies, l'incidence de l'obésité ou du surplus de poids a pris des proportions épidémiques. Au Québec, 13 % de la population est obèse et 43 % des gens présentent un surplus de poids. Aux États-Unis, la proportion de personnes obèses atteint 23 %, et plus de 50 % de la population présente une surcharge pondérale. (*La Presse*, 30 septembre 2001.)

Une solution pour l'avenir

L'obésité fait de plus en plus de victimes, et ce, même chez les enfants. Le diabète de type II, qui est une conséquence grave de l'obésité, n'affectait auparavant que les adultes. Aujourd'hui, les scientifiques s'inquiètent du fait qu'il commence à toucher même les jeunes. Il est grand temps de trouver une solution, et celle-ci ne viendra certainement pas des régimes amaigrissants proposés à la télévision. Premièrement, il faut se poser les questions suivantes: pourquoi engraisse-t-on, et quelles sont les solutions pour remédier à l'obésité?

Pourquoi l'obésité est-elle en hausse?

1. L'isolement social

Nous sommes passés, en deux générations, du soutien social à l'isolement social. Avant, les choses étaient très différentes, notre société nous offrait beaucoup de soutien; on appartenait à de grandes familles unies, on socialisait avec nos voisins, on s'entraidait à l'église, on avait un emploi stable, on pratiquait des activités sociales en groupe… Aujourd'hui, on vit beaucoup plus d'isolement; les familles sont éclatées et comptent moins de membres, on ne connaît plus autant nos voisins, on ne va plus à l'église, on craint davantage de perdre notre emploi… Or, plusieurs compensent cette isolation en fumant, en buvant, en prenant de la drogue, en travaillant ou en mangeant.

Plusieurs études sociologiques ont démontré que les gens bien entourés et qui ont quelqu'un à qui ils peuvent se confier sans se faire juger réussissent beaucoup mieux à perdre du poids et ont moins de problèmes de santé que les personnes esseulées.

Solution

Adhérer à des associations qui font la promotion de la santé, de l'environnement ou de la protection des animaux, suivre des cours en tous genres (cuisine végétarienne, langues, informatique, peinture, botanique…), se joindre aux activités d'un groupe organisé (club de marche, club de vélo, club de cartes…), écrire par ordinateur à des gens avec qui on partage certaines passions, faire du bénévolat… N'importe quelle activité qui amuse et fait rencontrer des gens intéressants est bénéfique.

2. L'impatience

Dans une société qui met l'accent sur la recherche du plaisir instantané, la plupart des gens veulent atteindre leur poids idéal le plus rapidement possible. On a hâte d'être débarrassé de notre régime pour enfin trouver le bonheur. C'est pour cette raison que les régimes qui promettent des pertes de poids rapides sont très en vogue. Pourtant, les études le montrent, les régimes traditionnels ne sont pas efficaces à long terme; dans au moins 90 % des cas, le

105

poids perdu est repris au cours des mois ou des années qui suivent la fin du régime.

Solution

Prendre le temps qu'il faut pour perdre du poids. Aujourd'hui, après plusieurs années de cheminement personnel, de lectures et de consultations avec des clients, je crois qu'aucun chemin ne mène au bonheur; le bonheur, c'est le chemin lui-même. En d'autres termes, il faut savourer chaque instant de notre vie, ne pas attendre quelque chose qui devrait se produire dans l'avenir. Vivre, c'est profiter du moment présent. Plusieurs éléments rendent le chemin vers notre objectif très agréable: les nouvelles saveurs que l'on découvre, les connaissances que l'on acquiert, les progrès que l'on fait, les difficultés que l'on surmonte, le bien-être physique que l'on ressent… Quand on réussit à vivre intensément chaque étape de notre perte de poids, on est beaucoup plus patient et heureux.

3. Trop de diversité dans les supermarchés

À son retour d'un voyage au Népal, un de mes frères nous a dit de quoi se nourrissent les Népalais: ça se résume grosso modo à des patates, des lentilles, du riz et des épinards. Leur garde-manger n'est donc pas rempli de friandises, de crous-

tilles et de boissons gazeuses; ils n'ont pas de télé qui les harcèle en les invitant à acheter le dernier produit vedette de telle compagnie ou le nouveau trio de tel resto. Ils mangent à leur faim, sans se laisser aller à des tentations incontrôlables. Évidemment, ils ne souffrent pas d'obésité, mais ils ne souffrent pas de la faim non plus. L'équation est simple: plus on a une grande variété d'aliments transformés à notre disposition, plus on engraisse. D'ailleurs, quand on regarde l'augmentation du nombre de produits alimentaires de type confiseries, grignotines, bonbons et condiments dans les supermarchés américains, on s'aperçoit qu'il est proportionnel à l'augmentation de l'obésité. Saviez-vous qu'il y a au-delà de 300 000 produits alimentaires différents en vente au Canada (Nestle, Marion, «La grande malbouffe», *L'Actualité*, août 2002, p. 21), et que le nombre de friandises à lui seul est passé de 200 variétés en 1970 à 2 500 variétés en 1990[1-2]? Sans compter que cette panoplie de produits est de plus en plus accessible, à portée de main et vendue dans des formats qui grossissent et grossissent, comme la population.

On a souvent entendu dire que pour être en bonne santé, on n'a qu'à manger un peu de tout, et qu'aucun aliment n'est mauvais si on en consomme avec modération. Aujourd'hui, étant donné l'immense choix d'aliments qu'offre le marché, la plupart des gens mangent une variété de choses, en quantité modérée; mais est-ce que cela nous a menés vers la santé? Pas du tout!

Solution

Je vous invite à vous attarder à la qualité de ce que vous mangez plutôt qu'à la quantité. Oui, nous devons manger une belle variété d'aliments, mais ils doivent être de bonne qualité et le moins transformés possible. Avoir un grand nombre de légumes différents dans le réfrigérateur ne nuira pas à notre santé, alors qu'avoir une grande variété de biscuits dans le garde-manger n'est pas bon pour nous!

4. *Trop de distractions lors des repas*

Trop souvent, quand on mange, on est distrait, on s'occupe à autre chose, comme si l'action de manger était ennuyeuse ou secondaire. On lit le journal ou un magazine, on regarde la télé, on écoute la radio, on continue un travail de bureau… Tous ces divertissements ont pour résultat:

- qu'on mange sans trop se rendre compte de ce qu'on avale;
- qu'on mange davantage, pour compenser l'insatisfaction inconsciente laissée par le repas.

Solution

Lorsque nous nous apprêtons à manger, il est tout d'abord important que nous soyons reconnaissants de l'abondance de nourriture dont nous disposons à chaque repas. Témoignons de notre gratitude en faisant l'effort d'être conscients de ce que nous mangeons, en étant très attentifs à notre repas. Lorsqu'on est concentré sur sa nourriture, on jouit pleinement de son repas et, souvent, on mange moins.

5. *Trop d'aliments pièges*

Avez-vous le bec sucré ces temps-ci? C'est fort probablement les vestiges que vous conservez de l'Halloween, de Pâques, de Noël ou de votre dernière réunion entre amis. Quand on observe attentivement les comportements alimentaires des gens, on en arrive inévitablement à conclure qu'il existe des aliments pièges, des aliments dont l'effet s'apparente drôlement à celui des drogues. Permettez-moi de vous présenter les quatre grandes familles d'aliments qui nous font perdre le contrôle de notre appétit:

- *La poudre blanche légale*

Le sucre blanc nous pousse à trop manger; c'est comme s'il interférait avec le signal de satiété qui est normalement envoyé au cerveau pour nous enlever le goût de manger. Les enfants nous en donnent d'ailleurs un excellent exemple: quand ils mangent des bonbons ou du chocolat, on doit leur imposer des limites; sinon, ils s'empiffrent jusqu'à en avoir mal au cœur. Avez-vous remarqué qu'il n'est pas nécessaire de surveiller leur consommation de fruits ou de légumes? Et vous, n'avez-vous jamais succombé à la tentation et mangé une rangée complète de biscuits ou une quantité excessive de chocolat ou de votre dessert préféré? Soyez honnête!

Le sucre blanc a un goût tellement prononcé qu'il nous donne l'impression que les vrais bons aliments n'ont plus de saveur. Avez-vous déjà mangé une pomme après un morceau de tarte au sucre? On est très loin d'avoir l'impression de s'offrir un plaisir défendu! Le sucre, comme toutes les nouvelles saveurs intenses développées en laboratoire par des personnes en blouses blanches, engourdit nos papilles gustatives. Cette nouvelle «mode alimentaire» synthétique fait paraître les aliments sains, soit les légumes et les fruits, moins séduisants et affriolants!

Et si vous pensez que l'aspartame (Nutrasweet) réglera le problème, détrompez-vous! Ce faux sucre augmente l'appétit et donne des fringales de sucreries autant que le sucre blanc, et même davantage!

Le terme «rage de sucre» fait maintenant partie de notre vocabulaire. On a l'impression que si on se gave de sucreries jusqu'à en avoir mal au cœur, la rage passera. Or, c'est plutôt l'inverse qui se produit. Si un ami qui vient d'arrêter de fumer vous dit qu'il a une envie irrésistible de griller une cigarette, allez-vous lui répondre «Fumes-en un paquet, ça va passer»? Vous savez pertinemment que s'il le fait, il risque fort de reprendre sa mauvaise habitude.

- • *Les fritures maudites*

Si on a devant soi des pommes de terre et de l'huile, on se maîtrise admirablement, mais si on fait frire la pomme de terre dans l'huile, on n'arrive plus à se contenir. Une infime partie de la population est capable de s'arrêter après avoir mangé deux poignées de chips; le reste d'entre nous doit voir le fond du sac. Il serait amusant de dresser nos propres statistiques et de noter les occasions où on a été capables de nous limiter alors qu'on avait un sac de chips sous la main. Ça nous ferait peut-être passer l'envie de dire innocemment, la prochaine fois qu'on se trouvera à proximité d'un sac de chips, «Je vais juste y goûter.» À mon humble avis, il est plus facile de résister à la première chips ou à la première frite que d'éviter d'engloutir le reste du plat une fois qu'on a commencé. Soyons vigilant avec les aliments frits, car ils stimulent l'appétit.

• *L'autre poudre blanche: le sel*

Plus un aliment est salé, plus on en mange. Le fromage en grains, qui est particulièrement salé, offre un bon exemple de ce phénomène. Une fois que le sac est ouvert, on le remet rarement au réfrigérateur. Vous n'êtes pas convaincu? Faites l'expérience avec des arachides: celles qui sont enrobées de sel se grignotent beaucoup plus rapidement que les arachides nature.

• *L'alcool*

L'alcool endort nos inhibitions, fait s'écrouler les barrières que nous avions érigées pour maîtriser notre comportement et nous entraîne à sauter à pieds joints dans la consommation d'aliments pièges, quitte à le regretter par la suite.

Solution

On a souvent l'impression que si on se prive de ces aliments pièges, la vie ne vaudra plus la peine d'être vécue. Pour ma part, j'ai vu tellement de gens abattus et malheureux après avoir mangé de façon incontrôlée pendant des jours que j'en suis venue à croire exactement l'inverse. Souvenez-vous que le bonheur se trouve dans le contrôle. Or, les aliments sains peuvent nous apporter de nombreux plaisirs sans nous faire perdre la maîtrise de notre appétit, voire de notre vie!

6. Trop de gras, pas assez de glucides

Il y a plusieurs années, avant l'occidentalisation de la Chine, l'obésité n'existait pratiquement pas dans ce pays. Des chercheurs ont voulu connaître le secret des Chinois et ont analysé leur alimentation. Les résultats ont été impressionnants: les Chinois de l'époque ingurgitaient plus de calories que les Nord-Américains, et pourtant, ils étaient moins lourds qu'eux. Les calories qu'ils absorbaient venaient principalement des glucides (sucres naturels contenus dans les végétaux). Très peu d'entre elles provenaient des gras. Les Nord-Américains,

---

Sources de glucides et de gras

GLUCIDES (naturels)

Fruits
Légumes (incluant la patate!)

Produits céréaliers: pain, riz
pâtes, avoine, maïs, orge…
Légumineuses: lentilles, haricots rouges
pois chiches…

GRAS

Animaux: viande (de bœuf, de porc, de veau…)
Produits laitiers (fromage, lait…)

Quelques exceptions parmi les végétaux:
Huiles, noix, olives, avocats, fèves de soya
(bonne qualité de gras)

109

eux, faisaient le contraire; ils allaient chercher une trop grande part de leurs calories dans les gras, et pas assez dans les glucides contenus dans les végétaux.

Cette étude et bien d'autres nous démontrent que l'obésité vient essentiellement d'un mauvais choix des sources de calories.

Solution

Faire des glucides naturels la base de notre alimentation et non l'accompagnement de nos repas, comme on a l'habitude de le faire. Voici pourquoi les sucres naturels sont nos alliés, et le gras, notre pire adversaire:

- *Économie de calories*

Les glucides contiennent seulement quatre calories par gramme, alors que le gras en contient neuf par gramme, soit plus du double. Une alimentation principalement centrée sur les glucides est donc l'idéal pour perdre du poids, puisque leur concentration moins élevée en calories nous permet de manger plus librement sans avoir à se priver. Alors fini les souffrances et les calculs de portions! Écoutez plutôt votre corps: il est mieux placé pour vous dicter quand et quoi manger qu'un «agent de police alimentaire».

- *Calories perdues en chaleur*

Physiologiquement, les aliments ne font pas que fournir des calories; ils peuvent également stimuler le métabolisme. C'est ce qu'on appelle l'effet thermogénique des aliments. Ceux-ci libèrent des calories pendant le processus de digestion et d'assimilation. Les sucres naturels ont un bon effet thermogénique et, de plus, ils activent les hormones thyroïdiennes et la noradrénaline, des hormones qui stimulent efficacement la dépense calorique. Selon certaines études, il peut y avoir jusqu'à 10 % de perte de calories à la suite de l'ingestion de glucides. À la suite de l'ingestion de gras, la perte est évaluée à environ seulement 2 % des calories! (Flatt, 1978)

- *Du sucre dans les muscles ou du gras dans les bourrelets?*

Si on consomme un surplus de glucides naturels, l'excès est entreposé dans la masse musculaire et dans le foie sous forme de glycogène (sucre de réserve) et non sous forme de gras. Notre corps se constitue ainsi une réserve de sucre facilement accessible, dont il peut disposer rapidement quand il en a besoin. C'est seulement si l'on fait plusieurs excès importants de suite que les glucides commencent à être entreposés sous forme de gras.

Dans le cas des gras, ce n'est pas du tout la même chose. Au moindre excès que nous faisons, le surplus est entreposé directement dans le gras souscutané, dans les bourrelets. Le gras ne nous laisse pas de répit. Il se compare un peu à de l'argent investi dans des obligations d'épargne, qui est mis en réserve à long terme et n'est utilisé qu'en dernier recours. Les glucides naturels, pour leur part, se comparent plutôt à de l'argent liquide, qu'on peut utiliser facilement. La prochaine fois que vous aurez envie de trop manger, privilégiez les glucides. Cela aura moins de conséquences que si vous mangez du gras!

• *Faire du gras avec du sucre, ça coûte cher!*

Si l'organisme choisit d'entreposer les glucides sous forme de tissus adipeux (ce qui est rare), il se produit, au cours du processus, une perte de 25 % des calories. C'est l'énergie dont le corps a besoin pour transformer les molécules de glucides en molécules de gras. Le gras, pour sa part, n'a pas besoin d'être transformé, puisqu'il se présente déjà sous sa forme «entreposable». Il se retrouve donc en entier dans nos tissus adipeux, sans aucune perte énergétique…

• *Dernier bonus: l'effet bourratif*

Un groupe de recherche de l'Université Laval a découvert que les glucides procurent une sensation de satiété plus importante que le gras. Autrement dit, vous consommerez sans doute moins de calories pour atteindre votre niveau de satiété en mangeant des glucides qu'en ingérant du gras.

En conclusion, il est plus important de s'attarder à la qualité et à la provenance des calories que l'on mange qu'à leur quantité. Au lieu d'être les comptables des aliments, nous devrions en être les juges…

Je suis maintenant convaincue que la seule et unique façon de perdre du poids avec succès, sans souffrir de la faim et en améliorant sa santé, est de centrer son alimentation sur les sucres naturels non transformés, c'est-à-dire les végétaux. Cela revient à dire que notre assiette devrait être remplie surtout de légumes, de céréales entières et de légumineuses, le tout accompagné de fruits, d'un peu de noix, de graines, d'olives et d'avocat.

Les mangeurs de viande gagnent du poids

Une étude a confirmé que le fait de manger de la viande contribue à la prise de poids. Les chercheurs de l'American Cancer Society ont étudié 79 236 hommes et femmes âgés d'une quarantaine d'années; ils ont observé leur façon de s'alimenter en 1982, puis en 1992. Ceux qui, durant cette période, ont mangé plus de trois portions de viande par semaine ont gagné plus de poids en vieillissant que les autres. Plus les participants mangeaient de légumes, moins ils avaient tendance à grossir.

7. Nourris par le stress

Nous savons tous que manger détend; après un gros repas, on s'endort et on s'en fait moins avec les problèmes de la vie. En 1999, le Dr Denis Richard a livré les résultats de ses recherches lors d'un congrès sur l'obésité qui se tenait à l'Université Laval. Ce chercheur a confirmé ce dont on se doutait déjà fortement: manger diminue la réponse au stress. Des études suggèrent même que le stress est une cause importante de l'obésité[3]. La recherche nous aide à comprendre de mieux en mieux pourquoi. Entre autres, manger stimule le système gastro-intestinal et provoque la sécrétion d'hormones qui contribuent à diminuer le stress. Parallèlement, le fait de s'imposer des restrictions alimentaires peut augmenter le niveau de stress. Des investigations réalisées à l'Université Laval révèlent qu'une privation aiguë de nourriture, telle que celle qu'on s'impose en suivant un régime trop strict, produit une réaction physiologique analogue à celle induite par le stress[4].

Même nos réserves de gras corporel (surtout celles qui se trouvent sur les hanches), qu'on appelle communément bourrelets, contribuent à diminuer notre stress, puisqu'elles provoquent l'augmentation du niveau d'une hormone appelée leptine[5].

Selon le Dr Denis Richard, il paraît de plus en plus plausible que le fait de devenir obèse atténue la vulnérabilité d'un individu au stress. Si c'est vrai, nous devons nous poser la question suivante: devenons-nous de plus en plus obèses pour faire face au stress qui, dans notre société, est de plus en plus présent?

Solution

Pour mieux contrôler notre poids, il est primordial d'éviter le plus possible les sources de stress et d'inclure des méthodes de relaxation dans notre mode de vie. Moins vous aurez de tracas et plus vous vous détendrez, plus vous aurez de chances d'éviter l'obésité. Se relaxer peut vouloir dire pour certains jouer avec ses enfants, lire un bon livre ou téléphoner à une amie, et pour d'autres cela peut vouloir dire jouer aux cartes, écouter un film, faire du yoga ou marcher. Peu importe votre choix, pourvu que les résultats soient là!

8. Trop d'importance accordée à l'apparence, pas assez à la santé

Dans la vie de tous les jours, on nous bombarde d'images de filles très minces et très belles, et d'hommes aux muscles bien découpés. La télévision, les magazines, les panneaux publicitaires et les vitrines des magasins nous laissent croire qu'il faut ressembler à ces modèles de beauté pour être heureux. Dans notre société, on a cultivé un certain dégoût de l'obésité, qu'on associe à un manque de contrôle ou de volonté et à une piètre image corporelle. Beaucoup trop de femmes accordent une importance démesurée à leur poids. Pour elles, c'est ce qui devient le centre de leur vie. Certaines sont même prêtes à mettre leur santé en péril pour perdre du poids. Dans le cadre d'une étude, on a demandé à des femmes si elles préféreraient être amputées d'une jambe ou être obèses; la plupart d'entre elles ont répondu qu'elles préféreraient être amputées…

Si la seule chose qui nous incite à surveiller notre alimentation est notre désir de perdre du poids, il y a de fortes chances que les résultats obtenus soient temporaires. C'est d'ailleurs ce qui se produit lorsqu'on suit l'un des nombreux régimes amaigrissants proposés sur le marché.

Solution

On associe moins l'obésité à des troubles de santé qu'à des problèmes d'image de soi; pourtant, elle aggrave et même provoque plusieurs maladies telles que les maladies cardiovasculaires, le diabète de type II, l'hypertension artérielle, certaines formes de cancer (côlon, seins…), l'apnée du sommeil et l'ostéoarthrite. Le fait d'être obèse diminue même l'espérance de vie d'un individu. Si on insistait davantage sur les effets de l'obésité sur la santé que sur l'image corporelle, on obtiendrait sans doute de bien meilleurs résultats, plus sains et plus durables.

9. L'inactivité physique

La venue des ordinateurs et des jeux vidéo, l'utilisation généralisée de l'automobile, l'augmentation des heures de travail engendrée par la compétitivité et le matérialisme, la quantité affolante d'heures passées devant la télévision nous ont menés vers l'immobilité et, par conséquent, a fait de nous une société plus lourde.

Solution

Ne courez pas tout de suite vous abonner à un centre sportif; choisissez plutôt une activité physique qui vous plaît et consacrez-lui du temps. Plus vous aimerez les activités que vous entreprendrez, plus elles s'inséreront naturellement dans votre emploi du temps, et ce, pour y rester! Alors, arrêtez-vous un instant et réfléchissez à ce que vous aimez. S'agit-il du golf, de la randonnée pédestre, du vélo, de l'escalade, du patin à roues alignées, de l'aquaforme? Ou préférez-vous danser le rock'n'roll, ou même faire du jardinage?

Dans notre société, on est souvent porté, à tort, à juger notre richesse en fonction de notre état financier ou de nos possessions. En fait, la vraie richesse d'une personne, c'est sa santé.

LA SANTÉ, selon l'Organisation mondiale de la Santé (OMS) est «un état complet de bien-être physique, psychique et social, et non seulement l'absence de maladies ou d'infirmités.»

Bibliographie

1. FLEGAL, K.M. et coll. *Int. Journal Obesity*, 1998; pour les données sur l'obésité.

2. GALLO, A.E. *Food Rev* 1997; pour les données sur les variétés de produits.

3. BRADLEY, *Appetite*, 6, 1985, p. 235-241.

4. TIMOFEEVA, E., et RICHARD, D. *Neuroendocrinology*, 66, 1997, p. 327-40.

5. HUANG, Q., RIVEST, R., et RICHARD, D. *Endocrinology*, 139, 1998, p. 1524-1532.

Chapitre 2

Le végétarisme et l'environnement

Patricia Tulasne

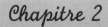

Dans ce chapitre
Les grands problèmes environnementaux
Le végétarisme: un coup de pouce pour la planète
Les OGM

«Notre époque contemporaine doit faire face à de tout nouveaux problèmes. Tout d'abord les grands problèmes d'environnement. C'est pourquoi le courant écologique de la philosophie a une telle importance au XXe siècle. De nombreux philosophes tirent la sonnette d'alarme en montrant que la civilisation occidentale est fondamentalement sur une mauvaise voie et va à l'encontre de ce que notre planète peut supporter. [...] Ils ont par exemple problématisé la pensée même de progrès. À la base, il y a l'idée que l'homme est "supérieur", qu'il est le maître de la nature. Cette pensée se révèle extrêmement dangereuse pour la survie de la planète.»

Jostein Gaarder, *Le monde de Sophie.*

Une planète en voie d'extinction

Le monde décrit dans le nouveau rapport de l'ONU sur l'environnement paru en juin 2002 n'a rien de bien réjouissant. On y dénombre de plus en plus de catastrophes naturelles, et les problèmes climatiques et environnementaux mettent en danger la vie des humains, des animaux et des plantes.

Le rapport nous confirme ce dont on se doutait déjà: la biodiversité de la terre est gravement menacée. Mille cent trente espèces d'oiseaux et plus de

4 000 mammifères pourraient disparaître d'ici 30 ans – même s'il ne sont pas aujourd'hui en voie d'extinction –, à la suite de la destruction de leur habitat causée par l'industrialisation, les activités minières et l'agriculture intensive. Les poissons ne s'en tirent pas mieux que les autres membres du règne animal: on constate déjà une diminution de près d'un tiers de la réserve mondiale de poissons, due en majeure partie à une pêche excessive subventionnée à coups de 20 milliards de dollars par année par les gouvernements. Déjà on ne trouve presque plus de morue ni de saumon sur le marché. Quant aux forêts tropicales, elles disparaissent au rythme effarant de 1 % par année depuis 10 ans.

La menace est réelle, comme le confirme le directeur de l'American Museum of Natural History, Michael Novacek: «Nous ne savons pas combien d'espèces nous pouvons nous permettre de perdre avant que tout l'écosystème ne s'effondre.» (Associated Press, Londres, juin 2002)

Les émissions de gaz à effet de serre, dues à l'activité humaine et plus particulièrement à la combustion d'énergie fossile, représentent un sérieux danger pour la vie sauvage comme pour la santé humaine. Le réchauffement de la planète est en effet responsable, entre autres, de la désoxygénation des océans, de la fonte de la calotte polaire, de la fonte des grands glaciers, de la hausse du niveau de l'eau des mers et des grands lacs, de la désertification et de l'apparition de nouvelles maladies infectieuses, tant chez les papillons que chez les humains. En 2002, à la veille du Sommet de Johannesburg, qui était censé donner un nouvel élan à des politiques environnementales fondées sur le développement durable, on apprenait que même si les 2 500 recommandations du Protocole de Kyoto, votées il y a 10 ans (et dont la plupart n'ont pas fait l'objet de l'ombre d'une mise en application), étaient respectées à la lettre, il faudrait des décennies avant d'en sentir les effets positifs.

D'ici 50 ans, l'attitude de nos gouvernements et des multinationales pour qui les ressources terrestres représentent un marché et non un bien commun pourrait, d'après certains scientifiques, précipiter la destruction irréversible de notre planète.

Maux de terre…

Sécheresse inhabituelle en Amérique, inondations en Europe… De plus en plus de gens se demandent si le ciel n'est pas en train de nous tomber sur la tête. Le phénomène du réchauffement de la planète risque de prendre bientôt des proportions désastreuses. D'ici 30 ans, le monde aura à faire face à de nombreux problèmes auxquels les autorités n'ont toujours pas trouvé de solutions… Et si le végétarisme en était une?

>«La plupart des gens ne sont pas au courant des effets dévastateurs des troupeaux d'élevage sur les écosystèmes et sur l'avenir de la civilisation. L'élevage de troupeaux et la consommation de bœuf se rangent parmi les menaces les plus importantes au bien-être de la population humaine.»
>
> Jeremy Rifkin

La croissance démographique et la faim dans le monde

La terre compte 6,1 milliards d'habitants, et la population mondiale devrait atteindre les 9,3 milliards en 2050. Les 49 pays les plus pauvres du globe vont voir leur population tripler au cours des 50 prochaines années. La production alimentaire destinée aux animaux nécessite des ressources en terre et en eau qui commencent à faire cruellement défaut dans ces pays très fortement peuplés.

Aujourd'hui, 800 millions de personnes, dont 150 millions d'enfants, sont sous-alimentées, et environ 20 millions de personnes meurent de malnutrition chaque année dans le monde. À peu près 80 % de la richesse mondiale est détenue par seulement 15 % de la population.

Le saviez-vous?

Chaque seconde, 200 Américains mangent un hamburger acheté dans un *fast-food*. Ils dépensent pour ce type de nourriture près de 110 milliards par année, et 11 milliards uniquement pour acheter de la crème glacée.

Lorsqu'on sait que pour produire 1 kg de viande, un bœuf doit consommer environ 16 kg de grains, on ne s'étonne pas d'apprendre qu'en Amérique du Nord, 90 % de l'avoine et 80 % du maïs servent à l'alimentation du bétail. D'après le nutritionniste de Harvard Jean Mayer, si les Américains réduisaient de seulement 10 % leur consommation de viande, on «économiserait» suffisamment de céréales pour donner à manger à 60 millions de personnes. Avec les céréales nécessaires à l'alimentation d'une vache, on pourrait nourrir 20 humains. Et si on recueillait toutes les céréales et tout le soya utilisés pour engraisser le bétail des États-Unis, c'est 1,3 milliard d'êtres humains qui pourraient être nourris.

Le saviez-vous?

«Si on plante 100 m² de soya, on obtiendra environ 5 kg de protéines, avec lesquelles on pourra assurer les besoins protéiques de 70 personnes pendant une journée. Mais si ces 5 kilos de protéines sont utilisées pour nourrir le bétail, on obtiendra seulement 500 grammes de viande bovine, ce qui assure à peine les besoins protéiques quotidiens de deux personnes.»

Source: Dr Pamplona Roger, *Croquez la vie*

L'eau potable et la soif dans le monde

Sur la quantité d'eau que compte notre planète, il y a seulement 2,8 % d'eau douce, et nous ne pouvons en utiliser que 1 %, le reste étant emprisonné dans les glaces des pôles, dissipé sous forme d'humidité ou situé dans des zones souterraines inexploitables par l'homme.

Avec le problème de la surpopulation va inévitablement se poser celui de l'eau potable. Aujourd'hui, environ 450 millions d'êtres humains dans 29 pays souffrent du manque d'eau, et ce chiffre atteindra 2,5 milliards en 2050. Et 2,4 milliards de personnes ne disposent pas d'installations sanitaires convenables. Pendant longtemps, on a compté sur l'immense capacité des fleuves et des rivières pour évacuer les déchets produits par l'homme. Aujourd'hui, la moitié des fleuves et des rivières du monde sont pollués, et leur niveau d'eau a significativement baissé au cours des 10 dernières années.

L'eau, denrée de plus en plus rare, pourrait aussi être économisée si les gens choisissaient d'adopter une alimentation végétarienne. À titre d'exemple, il faut près de 96 fois plus d'eau pour produire une livre de viande qu'une livre de blé, soit 9 325 litres contre 97,5 litres. Un bœuf boit en moyenne 47 litres d'eau par jour. Et il y a 2,2 milliards de bovins sur la planète!

Un abattoir de volailles – où, en moyenne, plus de 25 000 poulets par jour sont tués – utilise, pour l'abattage d'un seul poulet, une vingtaine de litres d'eau. À elle seule, la quarantaine d'abattoirs de poulets du Québec rejette plus de 20 millions de litres d'eau usée par jour.

Le saviez-vous?

Il faut pour produire:

une laitue: 80 litres d'eau
une tomate: 110 litres
un brocoli: 159 litres
un épi de maïs: 440 litres
un œuf: 2 500 litres
1 livre de bœuf: 9 325 litres (soit l'équivalent de 4 douches par semaine pendant un an!)

Source: AHIMSA

Les changements climatiques: la pollution de l'air et de l'eau

Les experts prévoient que d'ici 2100, la température aura augmenté d'une valeur comprise entre 1,5 et 5,8 degrés Celsius, en raison des gaz à effet de serre. La teneur en gaz carbonique (CO_2) a atteint 280 parties par million (ppm) en 150 ans, alors qu'elle était restée inférieure à ce niveau pendant au moins 500 000 ans.

Le trou dans la couche d'ozone, provoqué par l'effet des chlorofluorocarbones (CFC) utilisés dans certains produits et appareils de réfrigération, a atteint en 2001 une superficie record de 30 millions de km^2 au-dessus de l'Antarctique. Même si la NASA a constaté en 2002 une diminution sensible du trou de la couche d'ozone, due en grande partie aux variations saisonnières, les experts ne prévoient une résorption complète de celui-ci qu'à partir de 2050, à la condition que toutes les nations soutiennent leurs efforts de réduction des produits chimiques qui attaquent la couche d'ozone…

Depuis le début de la révolution industrielle, la concentration de gaz à effet de serre a augmenté de 30 %. L'air est envahi de gaz carbonique (dioxyde de carbone ou CO_2), qui provient surtout de la combustion du pétrole, du charbon et des gaz naturels. L'Agence canadienne de développement international estime à 800 milliards de tonnes la quantité de carbone présente dans l'atmosphère. Ce type de pollution, dû à la production d'électricité (30 %), aux transports (20 %) et à l'industrie (47 %), augmente de 1 % chaque année. Dans les pays tropicaux, le gaz carbonique provient surtout des feux de forêts allumés volontairement pour créer de nouveaux pâturages pour le bétail.

Depuis 50 ans, la quantité d'énergie utilisée pour la production alimentaire a quintuplé, ce qui a aggravé d'autant les effets de la combustion d'énergie fossile sur l'environnement. La transformation et le traitement de la nourriture, particulièrement de la viande, exige une quantité d'énergie considérable: transport, chauffage, machinerie utilisée pour les récoltes et à l'abattoir, réfrigération, congélation, cuisson, etc. Pour obtenir 1 calorie de protéine animale, on doit dépenser 78 calories de pétrole. Pour produire 1 calorie de protéine végétale, on en dépense seulement 2. Si tous les êtres humains de la planète consommaient de la viande ou, plus précisément, si tout le monde mangeait à la manière des Nord-Américains, les réserves de pétrole accessibles seraient épuisées en 13 ans, selon le Word Watch Institute.

Le saviez-vous?

Chaque année, environ 7 milliards de tonnes de carbone sont dégagées par l'activité humaine.

Source: Agence canadienne de développement international

Un autre grand coupable du réchauffement de la planète: le méthane, considéré comme 20 fois plus néfaste que le gaz carbonique, et qui contribue pour environ 25 % à l'effet de serre accéléré. Le méthane (CH_4) est un gaz produit par fermentation entre autres lors de la digestion dans le premier compartiment de l'estomac des bovins. On estime que les 2,2 milliards de bovins vivant sur la planète dégagent 100 000 millions de tonnes de méthane par année, soit 20 % des émissions mondiales. Aux États-Unis, le bétail produit annuellement un milliard de tonnes de déchets non recyclés. En 1990, les animaux de ferme du Canada ont produit 654 000 tonnes de méthane. Si on combine les émissions de CO_2 liées à l'activité agricole au méthane et à d'autres gaz à effet de serre comme le protoxyde d'azote (dû à la décomposition des engrais, du fumier et de l'urine du bétail), on s'aperçoit que l'agriculture et l'élevage intensifs sont les grands responsables du réchauffement de la planète.

La pollution de l'eau est un problème qui pourrait aussi être en partie résolu si tout le monde adoptait un régime végétarien. Selon l'Organisation des Nations Unies, la production animale industrielle contribue à la pollution parce que les déchets produits sur les fermes sont souvent déversés dans les sols avoisinants, contaminant les eaux souterraines. Un exemple frappant: les méga-porcheries qui ont vu le jour au Québec il y a quelques années, dont le but est de faire de la province un des plus grands exportateurs de porcs du monde, ne savent que faire des milliers de tonnes de lisier qu'elles gé-

nèrent. Elles les déversent donc autour d'elles sous forme liquide, empoisonnant nos nappes phréatiques et nos cours d'eau. La teneur en nitrates et en phosphores (responsables de la prolifération des algues) des eaux de nos rivières est aujourd'hui alarmante. On expédie 45 000 tonnes de lisier par année dans le seul bassin de la rivière Chaudière, sans compter les engrais chimiques auxquels il est combiné. Les élevages actuels de porcs produisent 17 millions de kilogrammes de phosphore, alors que les sols cultivés ne peuvent en absorber que 8 millions. Dans un avis rendu public en mars 2001, le docteur Gingras, porte-parole de la Direction générale de la santé publique, demandait un arrêt immédiat de l'expansion de l'élevage dans toutes les zones où il y a un surplus de fumier. Au Québec, pas moins de 165 municipalités (400 selon certains avis) dépassent la norme de 20 kg d'azote par hectare. La solution proposée par les scientifiques? Créer un porc transgénique. Des chercheurs travaillent actuellement à produire un porc modifié possédant un gène de souris et un gène de bactérie. Ces deux gènes auraient une action sur le processus de digestion et élimineraient le phosphore des excréments. Les Européens, très réfractaires aux OGM, s'inquiètent déjà à l'idée de retrouver un jour ce porc transgénique dans leur assiette. Mais que les chercheurs se rassurent: ils réussiront sûrement à refiler leur création aux Nord-Américains, qui ont déjà tellement l'habitude de manger... des cochonneries!

Le saviez-vous?

Une maternité comptant 1 116 truies produit 21 780 litres d'excréments par jour. Chaque année, au Québec, les méga-porcheries produisent 9,5 millions de mètres cubes de purin, l'équivalent du contenu de 300 000 camions-citernes.

Source: AHIMSA et *Le Soleil,* avril 1999

Comme si ce n'était pas assez, plusieurs centaines d'entreprises agricoles de l'Est du Québec enfouissent directement dans leurs terres les carcasses d'animaux de ferme décédés, une pratique susceptible de contaminer le reste du bétail, de polluer les nappes phréatiques et de créer un risque pour la santé humaine.

Source: *Le Soleil,* juin 2000.

D'autre grands coupables de la pollution atmosphérique: les pesticides

Nous vivons dans un milieu où circulent au-delà de 100 000 produits chimiques en tout genre, et 1 000 nouveaux produits arrivent sur le marché chaque année, entraînant dans leur sillage des maladies qui n'existaient pas auparavant. Avez-vous remarqué le nombre d'enfants qui souffrent d'allergies, d'asthme, d'arthrite, d'otites à répétition? Chez l'adulte, les produits chimiques seraient responsables, entre autres choses, de la baisse de la fertilité, de l'augmentation de différents types de cancer et des dérèglements des systèmes immunitaire, nerveux et endocrinien. Une étude réalisée en Australie a permis de constater la présence, dans le méconium (une substance qui s'accumule dans l'intestin du fœtus pour former les premières selles du nourrisson) d'une cinquantaine de bébés, de pesticides (lindane, chlordane, malathion, DDT...) dont certains ne sont plus utilisés depuis des années, mais qui restent bien présents dans l'organisme.

L'appauvrissement des sols est encore aggravé par les pratiques agricoles intensives (monoculture, utilisation d'engrais chimiques). La teneur en matières organiques des sols agricoles canadiens a diminué de 30 % depuis qu'on les cultive. La couche arable originale des États-Unis aurait diminué, selon John Robbins, de 75 %.

Aux États-Unis, entre 1942 et 1951, les insectes détruisaient en moyenne 7 % de la production agricole. En 1973, ils en détruisait 13 %, soit presque le double, même si l'utilisation de pesticides avait été multipliée par 10. La guerre chimique contre les parasites engendre chez eux une résistance de plus en plus grande aux pesticides et détruit du même coup les insectes qui en contrôlent la population. C'est un cercle vicieux qui exige de la part de l'industrie des quantités de plus en plus grandes de produits chimiques.

Au Québec, c'est dans la culture du maïs destiné aux animaux de boucherie qu'on trouve la plus grande concentration de pesticides.

Ingérés par le bétail, ces produits sont d'abord filtrés par le foie, qui ne peut en retenir la totalité. Les résidus de pesticides se concentrent ensuite dans les tissus gras et dans le lait de l'animal, avant d'être absorbés par l'être humain. En septembre 2002, un rapport de l'Agence canadienne d'inspection des aliments faisait état de la présence dans la viande de porc, dans les œufs et dans les produits laitiers de dioxines (dus à l'utilisation massive de chlore) et de furanes (produits, entre autres, par l'incinération des déchets), composés toxiques que l'on trouve en permanence dans l'atmosphère.

À l'instar des organismes humains et animaux, les sols accumulent les produits chimiques, qui prennent des décennies à se dégrader. La toxicité des pesticides/ herbicides représente un immense danger pour tous les écosystèmes.

Le saviez-vous?

Si on cherche l'aliment vendu aux États-Unis offrant la plus grande concentration de résidus de pesticides, c'est le bœuf qui arrive en tête. La viande contient environ 14 fois plus de pesticides que les végétaux, et les produits laitiers en contiennent 4,5 fois plus. Les carnivores sont plus touchés par les intoxications aux pesticides que les végétariens parce que les produits animaux qu'ils consomment sont situés au bout de la chaîne alimentaire.

De nouveaux ennemis: les xénoestrogènes

Depuis quelques années, on trouve dans l'environnement des substances chimiques jusque-là inconnues: les xénoestrogènes. Ce sont des hormones produites par la dégradation de certains pesticides ou certains insecticides. Ces indésirables sont fortement soupçonnés de prendre la place des hormones naturelles dans nos tissus cellulaires et de provoquer, outre la puberté précoce, certains cancers (du sein, de l'utérus, du côlon et de la prostate). Impossible de leur échapper: ils pénètrent à l'intérieur de notre organisme aussi bien par voie digestive que cutanée ou respiratoire.

La pêche, un sport dangereux

Au Québec, 1,2 million de personnes s'adonnent à la pêche sportive, un loisir qui peut se révéler dangereux... En effet, on a retrouvé dans la chair des poissons pêchés une teneur en mercure supérieure à 0,5 mg/kg, ce qui excède la norme recommandée par Santé Canada. Selon l'espèce et l'endroit de capture, on trouve également dans la chair des poissons des biphényles polychlorés (BPC, DDT), de l'hexachlorobenzène (HCB), des dieldrines, des dioxines et des furanes.

Source: *Québec Science*, juin 2002

La disparition des forêts

Les forêts couvrent 30 % des terres émergées. Depuis 1990, en 12 ans seulement, leur surface s'est réduite de 2,4 % (1,42 million de km²) à cause de l'industrie du bois, de l'activité minière, de l'agriculture intensive et de l'extension des villes. En l'an 2002, 14 % de la forêt amazonienne brésilienne, la plus grande forêt tropicale humide du monde et le principal réservoir de la biodiversité de la planète, ont disparu. Quand on sait que chaque année, les forêts tropicales perdent entre 13 et 17 millions d'hectares de leur superficie, dont un quart au Brésil seulement, on peut présumer que si la tendance se maintient, il n'en restera pas grand-chose d'ici quelques années...

Selon certains groupes écologistes, près de 80 % des forêts primaires, c'est-à-dire des forêts créées par des événements naturels, ont déjà été détruites ou dégradées, et 40 % de ce qu'il en reste aura disparu d'ici 20 ans, entraînant le déplacement des populations locales et l'extinction de centaines d'espèces animales.

Dès 1996, les Nations Unies ont tiré la sonnette d'alarme en indiquant que plus d'un milliard de personnes, principalement en Afrique et en Asie, sont exposées aux effets pervers de la désertification, phénomène accéléré par la dégradation des forêts.

Les forêts sont primordiales à la survie de la planète. Grâce à la chlorophylle, elles dégagent de l'oxygène et fixent le gaz carbonique contenu dans l'atmosphère. La quantité de carbone stockée dans les forêts du globe est 10 fois supérieure à tous les combustibles fossiles brûlés ces 100 dernières années. La destruction des forêts tropicales (19 000 km² par année) libère dans l'atmosphère environ 2 milliards de tonnes de gaz carbonique (CO_2), ce qui représente 25 % des émissions de gaz à effet de serre et joue un rôle prépondérant dans le réchauffement climatique.

123

En détruisant les forêts tropicales, on anéantit aussi une panoplie de plantes médicinales expérimentées avec succès contre le cancer, la malaria, les rhumatismes et même le virus du sida. Et on estime que l'on n'a recensé à ce jour que 10 % des plantes des forêts tropicales! D'après les experts, il serait plus rentable à long terme de laisser les forêts intactes que d'abattre les arbres pour l'exploitation forestière ou pour l'élevage de bovins.

Le saviez-vous?
Une personne végétarienne permet d'économiser un acre de forêt par année.

D'après l'Agence canadienne de développement international, «l'élevage extensif, notamment en Amérique latine, est une cause majeure de déforestation. Les éleveurs commencent à couper les arbres les plus intéressants pour l'exploitation du bois, puis ils brûlent pour défricher, avant d'installer d'immenses prairies d'élevage. Au cours de la deuxième moitié du XXe siècle, la demande de bœuf bon marché en Amérique du Nord et l'amélioration des infrastructures locales ont poussé les éleveurs à donner de l'expansion à leurs activités et à occuper les forêts humides.»

Même s'il n'existe pas de données fiables sur l'utilisation des terres, on estime que le territoire occupé par des pâturages permanents en Amérique centrale est passé de 3,9 millions d'hectares en 1955 à 13,4 millions d'hectares en 1995 (Sunderlin et Rodriguez, 1996; FAO, 1998). Ce sont les forêts tropicales de la région qui ont souffert de cette multiplication par trois du territoire occupé par des pâturages. Selon l'Organisation mondiale des Nations Unies pour l'alimentation et l'agriculture (FAO), la pratique du brûlis fait des dégâts considérables: chaque année, en Amérique du Sud, 3,5 millions d'hectares de forêts partent en fumée à cause d'incendies mal maîtrisés, provoquant l'émission dans l'atmosphère de 80 à 100 tonnes de carbone par hectare brûlé.

Le saviez-vous?
Au Québec, au cours des 10 dernières années, on a défriché 32 121 hectares de forêts et de boisés (320 km²) pour permettre aux producteurs de porcs d'épandre les lisiers et les fumiers. Il n'existe pas de normes provinciales pour contrôler les coupes forestières dans les boisés privés.

Source: *L'agriculture rase la forêt*, Louis-Gilles Francœur, *Le Devoir*, 27 février 2002

Les espèces menacées

La disparition des forêts primaires a d'autres conséquences néfastes sur l'environnement. Elle joue un rôle crucial dans l'extinction de plusieurs espèces animales, menacées par la perte de leur habitat et un braconnage de plus en plus intensif facilité par la création de routes pour l'exploitation forestière. Au Cameroun, par exemple, on évalue à 2 300 kilos la quantité de viande de brousse commercialisée chaque jour, soit 70 tonnes par mois. L'ONU estime que 11 046 espèces animales et végétales sont menacées et pourraient disparaître d'ici les 30 prochaines années: 24 % des mammifères (parmi les espèces les plus menacées figurent nos plus proches parents par l'ADN, les chimpanzés et les gorilles, ainsi que le tigre, le rhinocéros et le léopard d'Asie), 12 % des oiseaux, 25 % des reptiles et amphibiens.

L'érosion des sols

La croissance démographique et nos habitudes alimentaires (on prévoit que la demande mondiale de viande sera 63 % plus élevée en 2020 qu'elle l'était en 1993) entraînent une énorme pression sur l'agriculture. De plus en plus de terres doivent être cultivées. Déjà, l'érosion des sols touche 2 milliards d'hectares de terre arables, soit une superficie équivalente à celle des États-Unis et du Mexique réunis. Chaque année, on perd de 5 à 7 millions de terres productives. L'érosion est un phénomène naturel, dû principalement à l'action du vent et de la pluie. Mais ce phénomène s'accélère dangereusement à cause d'un usage destructeur du terrain lié aux pratiques agricoles que nécessite la production du bétail, comme la déforestation, la mauvaise rotation des cultures, la salinisation due à une irrigation mal contrôlée, le labourage intensif et le surpâturage. Dans les pays tropicaux, le surpâturage est la première phase qui conduit à la dégradation des sols. Quand le nombre d'animaux est excessif, la végétation est incapable de se regénérer et les troupeaux piétinent alors des sols qui se fragilisent. Privés de couvert forestier, exposés au vent et aux pluies torrentielles, les sols défrichés des forêts tropicales s'érodent rapidement. Les particules du sol, parfois chargées de polluants, sont ensuite acheminées par les pluies vers les cours d'eau, ce qui entraîne une diminution générale du niveau du sol. Dans les zones arides, cette dégradation s'aggrave et devient responsable de certains cas d'une désertification extrême. Ce phénomène affecte aujourd'hui un quart de la superficie des terres mondiales et menace la survie de 900 millions de personnes dans cent pays en voie de développement.

125

On n'arrête pas le progrès

> «La nature de l'homme est de lutter contre la nature.»
>
> Albert Jacquard

Au nom du progrès, au nom même de la solidarité entre les peuples (produire plus pour le plus grand nombre), l'industrie agro-alimentaire est devenue un gigantesque fourre-tout où cohabitent joyeusement pesticides, herbicides, additifs, légumes irradiés, organismes génétiquement modifiés… Il s'agit en fait de produire le plus possible au plus bas coût possible. On fait croire au consommateur que les nouvelles technologies lui permettent de se nourrir à peu de frais et représentent une solution pour enrayer la faim dans le monde. Mais on oublie que le prix à payer, pour notre santé et pour l'environnement, n'a jamais été aussi lourd…

Les OGM

La fin du XXᵉ siècle a vu s'incarner une nouvelle manifestation du génie humain, avec l'apparition des organismes dits génétiquement modifiés. Alors qu'en Europe, l'opinion publique s'est prononcée à 80 % contre les organismes génétiquement modifiés, et que des lois rendent obligatoire l'étiquetage des aliments qui en contiennent, il en va tout autrement en Amérique du Nord. Santé Canada estime que de 60 à 75 % des produits alimentaires transformés contiennent des OGM. La plupart du temps, le consommateur est tenu dans l'ignorance et n'a d'autre choix que celui que les multinationales lui imposent, souvent à son insu. «Les sondages démontrent que 90 % de la population est en faveur de l'étiquetage des OGM, soutient Louise Vandelac, coréalisatrice du film *Main basse sur les gènes* et sociologue à l'Université du Québec, dans une entrevue accordée au magazine *Québec Science* en juin 2002. Savoir ce qu'on mange est un droit élémentaire en démocratie. Et pourtant, le gouvernement refuse d'agir. Il est grand temps de mettre sur pied des mécanismes qui permettront à la population de se faire entendre dans les débats éthiques.»

Les cultures génétiquement modifiées les plus répandues sont celles du soya, du canola (colza) et du maïs destiné au bétail. Les tomates et les pommes de terre contenues dans les aliments transformés proviennent souvent de semences génétiquement modifiées.

Qu'est-ce qu'un OGM?

Un aliment génétiquement modifié est un aliment dans lequel on a introduit des gènes d'une espèce différente pour lui attribuer une caractéristique dont la nature ne l'avait pas doté au départ.

126

Des gènes pouvant provenir de virus, d'insectes ou de poissons sont insérés dans d'autres organismes. L'objectif visé est d'en retarder le mûrissement, mais aussi de rendre l'aliment modifié plus résistant aux herbicides, aux pesticides, au gel, aux insectes nuisibles ou à diverses maladies.

Des gènes plutôt gênants

Bien qu'on n'ait pas étudié véritablement les effets à long terme des organismes génétiquement modifiés sur l'environnement, les scientifiques ont déjà constaté certains phénomènes inquiétants: apparition de mauvaises herbes hyper-résistantes (d'où la nécessité d'utiliser des doses de produits chimiques encore plus toxiques pour en venir à bout), atteinte à la biodiversité, pollution génétique. Des études ont prouvé que les variétés de soya génétiquement modifiées demandent de 2 à 5 fois plus d'herbicides que les variétés classiques. Mais les critiques contre les OGM n'ont pas bonne presse dans le milieu scientifique. Angelika Hilbeck, une biologiste qui travaillait pour l'Institut géobotanique de Zurich, l'a appris à ses dépens. Elle a découvert que des insectes utiles étaient morts après avoir mangé des insectes nuisibles qui s'étaient nourris de plantes génétiquement modifiées. Inutile de préciser que son contrat n'a pas été renouvelé. Une étude scientifique réalisée en 2001 par le professeur Jean-François Narbonne a révélé que les sédiments puisés à l'embouchure de la rivière Richelieu, en bordure des champs de maïs transgénique Bt, contiennent des concentrations de la toxine Bt (utilisée comme insecticide) cinq fois plus élevées que les sédiments des terres agricoles environnantes. Le professeur émet l'hypothèse que les racines du maïs Bt transmettent ce gène à d'autres bactéries, qui à leur tour, produisent du Bt. Ce serait par l'écoulement des eaux que cette toxine se retrouverait dans le fleuve. Le Bt aurait en outre des effets nocifs sur le papillon monarque. Tout de même étonnant que ce soit un scientifique français qui nous fasse ces révélations, alors que les chercheurs canadiens restent résolument muets sur les risques que peuvent présenter les OGM!

Aucune étude sérieuse ne peut prouver que les OGM ne présentent pas un risque à long terme pour la santé. En fait, il faut attendre 20 ou 30 ans avant de pouvoir déterminer les effets des aliments génétiquement modifiés sur l'organisme. Toutefois, on sait déjà que le maïs génétiquement modifié administré au bétail peut provoquer des allergies chez l'être humain. L'usage répandu de gènes antibiotiques est susceptible d'accroître la résistance de l'organisme humain à ces médicaments. En faisant passer le développement éco-

127

nomique avant la santé publique et l'environnement, sommes-nous en train de nous préparer des «lendemains qui déchantent», comme ceux que nous avons connus avec le tabac ou le DDT, produits décrétés inoffensifs jusqu'à tout récemment par les autorités compétentes?

Manger bio, c'est logique!

Cultivés sans pesticides, les légumes portant la mention «certifiés biologiques» n'ont été ni génétiquement transformés, ni irradiés. Quant aux produits animaux, ils ne contiennent ni antibiotiques ni hormones de croissance. On sait que les végétaux contiennent moins de résidus de pesticides que les produits animaux (au Canada, moins de 2 % des fruits et légumes comportent un taux de résidus supérieur à la normale). Néanmoins choisir de manger des aliments certifiés cultivés biologiquement est assurément un choix santé. Virginia Worthington, docteure en nutrition à l'Université Johns Hopkins, de Baltimore, a compilé des données accumulées au cours des 50 dernières années pour réaliser une étude qui démontre clairement la supériorité des aliments biologiques sur les aliments conventionnels. Elle a établi, entre autres, les teneurs en:

Calcium:	+ 29 %
Vitamine C:	+ 27 %
Fer:	+ 21,1 %
Magnésium:	+ 29,3 %
Phosphore:	+ 13,6 %
Chrome:	+ 86 %
Iode:	+ 498 %
Sélénium:	+ 372 %
Molybdène:	+ 152 %
Nitrates:	- 15,1 %

Un choix santé, donc, mais aussi un choix de société, un geste destiné à faire comprendre à l'industrie agro-alimentaire que nous n'avons plus envie qu'elle nous empoisonne la vie.

Parce que nous le valons bien!

L'argument le plus souvent utilisé contre les aliments bio reste bien sûr leur prix… Mais l'alimentation doit devenir une priorité. En 1950, les gens consacraient 30 % de leur budget à la nourriture. En 1999, 10 % au Canada et seulement 7 % aux États-Unis… Si nous sommes capables de dépenser des sommes folles pour notre voiture, notre garde-robe ou le dernier gadget à la mode, pourquoi lésiner sur ce que nous avons de plus précieux: notre santé?

Conclusion

«Être végétarien aujourd'hui, c'est vivre en désaccord avec le cours des choses. La privation, la faim dans le monde, la cruauté, le gaspillage, il faut se prononcer contre tout cela. Le végétarisme est ma façon de me prononcer. Et c'en est une puissante.»

Isaac Singer

Si les six milliards d'êtres humains qui peuplent la terre vivaient tous comme les Occidentaux, il leur faudrait, selon l'ONU, 2,6 planètes supplémentaires. Chaque année, l'utilisation des ressources naturelles dépasse de 20 % la capacité de la terre à les régénérer. En 2050, si la tendance se maintient, la population consommera entre 180 et 220 % du potentiel biologique de la planète. Le tableau dressé dans ces pages n'a rien de réjouissant. Mais n'est-ce pas réconfortant de penser qu'en tant qu'individu, on peut faire quelque chose? N'attendez pas d'être obligé par la force des choses de vous priver de votre rôti de bœuf! En réduisant seulement de 30 % votre consommation de viande, vous pouvez donner vous aussi un coup de pouce à la planète. Et en choisissant de devenir végétarien, vous contribuerez, comme le chante Diane Dufresne, à «faire de la terre un grand jardin pour ceux qui viendront après nous…»

Le saviez-vous?

Si 1 000 personnes renoncent à un repas de bœuf par semaine, elles permettront d'économiser, au bout d'un an, plus de 180 millions de litres d'eau et 32 000 kg de céréales.

Source: www.newdream.org/turnthetide
9 gestes pour sauver la planète
Voir aussi: www.davidsuzuki.org
10 Ways to Conserve Nature

Bibliographie

 Rapport GEO-3 (Global Environment Outlook 3): www.unep.org/GEO/geo3

Rapport 2002 du Fonds mondial pour la nature (WWF).

Rapport 2001 du Groupe intergouvernemental sur le climat.

Rapport 2000 sur les espèces menacées de l'Union mondiale pour la nature.

Centre d'information sur l'eau (CIE): www.cieau.com.

DRAPEAU Jacques. «Ce bétail qui nous menace», *Le Soleil*, avril 1999.

FRÈRE Ludovic, *Les mille et une forêts,* Éd. Favre.

HÉROUX Marie-Claire, *Ces pesticides qui tuent*, AHIMSA.

VEILLERETTE François, *Pesticides, le piège se referme*, Ed. Terre Vivante, 2002.

ROBBINS John. *Se nourrir sans faire souffrir*, Éditions Stanké, Montréal.

L'ABC des O.G.M., Greenpeace.

O.G.M. l'ingrédient secret, Greenpeace.

Agence canadienne de développement international.

Rapport 2000-2001 de l'Organisation mondiale des Nations Unies pour l'alimentation et l'agriculture (FAO).

Chapitre 3

Le végétarisme pour le respect des animaux

Patricia Tulasne

Dans ce chapitre
Pour une nouvelle éthique de l'animal
L'élevage industriel
Les bavures de l'industrie

«Le véritable test moral de l'humanité, ce sont ses relations avec ceux qui sont à sa merci: les animaux. Et c'est ici que s'est produite la plus grande déroute de l'homme, débâcle fondamentale dont toutes les autres découlent.»

Milan Kundera, *L'insoutenable légèreté de l'être.*

«À partir du moment où le colonialisme, le racisme et le sexisme ont été défaits, du moins intellectuellement, n'est-il pas tentant de s'en prendre à la dernière figure de la discrimination, celle dónt est victime le monde animal?»

Jean-Yves Goffi, *Le philosophe et ses animaux.*

C'est le lien affectif que nous entretenons avec l'animal qui nous empêche de le manger. Personne, dans nos sociétés occidentales du moins, ne songerait à manger son chat ou son chien. Pourtant, c'est avec une indifférence largement partagée que nous nous nourrissons de porc, d'agneau ou de veau, simplement parce que ces espèces nous sont inconnues et qu'elles ne partagent pas notre quotidien. Si nous

131

apprenions à mieux les connaître, nous finirions par les aimer, et nous serions incapables de les manger. Au Québec, le Code civil accorde encore aux animaux un statut d'objet, ce qui nous permet de mieux les exploiter. «Il faut bien se nourrir!», entend-on souvent. Voilà pourquoi la plupart d'entre nous considèrent la souffrance animale comme un mal nécessaire et préfèrent fermer les yeux sur le destin des bêtes destinées à l'abattoir. Qui a vraiment envie de savoir, même sans éprouver de tendresse pour les poules, que leur vie dans un élevage moderne se déroule dans un espace équivalent à la surface d'une feuille de papier à lettres? Que les veaux passent leur vie dans le noir, sans pouvoir se tourner ni se coucher, et qu'on les anémie volontairement pour rendre leur viande plus blanche? Qui pourrait connaître les horreurs qu'endurent les animaux d'élevage et continuer à les manger sans en éprouver du remords? Pour plusieurs d'entre nous, il est beaucoup plus facile de ne pas savoir. Ainsi, au rayon des viandes qui, sous leur emballage plastique, n'ont plus rien à voir avec un animal vivant, on ne se pose aucune question gênante qui risquerait de nous couper l'appétit.

Aujourd'hui, de nombreux scientifiques, biologistes et éthologues s'accordent à reconnaître à l'animal une intelligence et un mode de communication qui lui sont propres, joints à la capacité de ressentir des émotions et de la douleur. Même si certains persistent à penser que les animaux n'ont pas conscience de la mort, tous ceux qui ont assisté à des séances d'abattage ont témoigné de l'immense terreur qu'ils ressentent quand ils se font tuer. De nombreux philosophes, comme Peter Singer, Tom Regan ou Jean-Yves Goffi, sont d'accord pour reconnaître qu'entre l'homme et l'animal, il n'y a pas une différence de nature, mais de degré, et s'attachent à définir les enjeux du statut éthique de l'animal. La société dans laquelle nous vivons a fait siennes les valeurs de compassion et de respect de la vie, nécessaires à l'évolution spirituelle d'une nation. La fin du XXe siècle a vu émerger des mentalités nouvelles, cristallisées par l'adoption par l'UNESCO en 1978 de la Déclaration universelle des droits des animaux. Pourtant, inexplicablement, nous acceptons encore que soient tués des milliards d'êtres vivants dans des conditions que justifie la seule économie de marché, sous le prétexte que c'est l'unique moyen d'offrir au consommateur un panier d'épicerie abordable. Peu importe si les coûts associés à la santé et ceux liés à l'environnement augmentent d'année en année, peu importe si des milliards d'êtres vivants vivent et meurent dans des souffrances intolérables… si le consommateur est heureux!

Le saviez-vous?

Au cours de sa vie, un carnivore mange en moyenne 43 porcs, 1 107 poulets, 11 vaches, 45 dindes et plus de 800 poissons.

Source: AHIMSA (Association humanitaire d'information et de mobilisation pour la survie des animaux)

«Le jour où on acceptera enfin qu'il existe une pensée sans paroles chez les animaux, nous éprouverons un grand malaise à les avoir humiliés et considérés aussi longtemps comme des outils.»

Boris Cyrulnick, *La plus belle histoire des animaux.*

Dans plusieurs pays d'Asie, on considère que la viande de chien est meilleure si l'animal meurt lentement, en étant battu, brûlé, ou même écorché vivant. Quant aux chats, ils sont bouillis vifs. Cela vous horrifie? Attendez de lire ce qui suit… Les Asiatiques, hélas! n'ont pas le monopole du sadisme…

Savons-nous ce que nous mettons dans notre assiette?

Une vie de porc

Le Québec est devenu, ces dernières années, l'un des plus gros exportateurs de porcs au monde. D'après Statistique Canada, on en produit plus de 7 millions par année. Les méthodes d'élevage pratiquées dans les méga-porcheries relèvent de l'univers concentrationnaire. Les animaux, exposés à des émanations constantes d'ammoniaque, sont maintenus dans des stalles où on les empêche de bouger afin de les engraisser à moindre coût. D'un naturel plutôt actif, les porcs subissent ainsi d'énormes frustrations et développent des comportements anormaux, mâchant sans fin les barreaux de leur prison ou se mangeant la queue les uns les autres, trouble psychologique auquel on remédie par l'amputation à froid. Les truies vivent et accouchent sur des grilles de métal ajourées dans des enclos qui leur laissent à peine quelques centimètres d'espace vital. Elles sont souvent entravées par le cou ou par le corps. Quand on les place dans une stalle pour la première fois, elles s'affolent, et certaines s'épuisent tellement à vouloir sortir qu'elles perdent connaissance. Par mesure de précaution, dit-on, elles sont séparées de leurs petits

133

dès la naissance, et ceux-ci n'ont accès qu'à leurs tétines, à travers une grille, pour se nourrir. Les petits mâles sont castrés sans anesthésie dès leur première semaine de vie. L'insémination artificielle et la promiscuité transforment ces bêtes, pourtant capables de sentiments, aussi intelligentes et affectueuses que des chiens, en vulgaires machines à viande, monstres obèses qu'on enverra à l'abattoir dès l'âge de six mois.

Une vie de veau

Le veau de lait est séparé de sa mère à la naissance. On l'enchaîne par le cou, ou parfois les pattes écartées pour qu'il ne se souille pas avec ses déjections, dans le noir, dans un enclos tellement étroit qu'il ne peut ni se tourner, ni se lécher, ni se coucher. Deux fois par jour, pendant environ quatre mois, on allume les lumières pour le nourrir d'une bouillie chimique à base de lait écrémé, déficiente en fer, qui le rend anémique afin de préserver la tendreté de sa viande. Privé d'eau, le veau n'a que cette source de nourriture pour étancher sa soif. Il est difficile d'imaginer des conditions de vie plus misérables que celle du veau dit «de lait», une appellation rassurante destinée à ouvrir l'appétit du consommateur.

Voilà le témoignage touchant qu'a donné Jean Mercure, metteur en scène

français, après avoir visité un élevage industriel de veaux: «Et quand tu entres là-dedans, qu'une porte s'ouvre et qu'un rayon de lumière s'infiltre dans leur nuit, toutes ces pauvres bêtes tendent ensemble la tête vers la clarté, le cou tordu, l'œil désespérément écarquillé, suppliant, vers la porte ouverte. Vivre dans le noir, sans pouvoir bouger ni se coucher… quelle horreur! quelle souffrance! Jamais je n'oublierai le regard de ces bêtes vers moi.»

Quant à la vache laitière, elle doit être gestante le plus souvent possible pour pouvoir produire son quota annuel de lait. Les méthodes modernes de fécondation permettent aux éleveurs de maintenir des quotas exceptionnellement élevés. Il n'est pas rare que les vaches laitières souffrent de mammites (inflammation des tétines) encore aggravées par l'injection de STB (somatotropine bovine), une hormone de croissance, interdite au Canada depuis 1999, qui augmente le rendement laitier de 10 à 20 %. Paradoxe de nos sociétés modernes, ce ne sont plus les veaux qui, aujourd'hui, boivent du lait de vache, mais les humains…

Une vie de poule

«La pire torture infligée à une poule de batterie est l'impossibilité de se retirer quelque part pour pondre. Pour la personne qui connaît un peu les animaux, il est réellement déchirant de voir comment une poule essaie et essaie encore de ramper sous ses voisines de cage pour y chercher en vain un endroit abrité.» Depuis que le professeur Lorenz, éthologue et prix Nobel, a fait cette observation en 1981, des chercheurs ont établi que dans des conditions expérimentales, des poules franchiront une foule d'obstacles afin d'atteindre un lieu où elles pourront pondre en étant isolées. Une poule d'élevage industriel n'a aucune chance d'y parvenir; elle doit pondre au milieu de ses codétenues, à même le sol grillagé.

Dès leur naissance, les poussins sont triés selon leur sexe, et les mâles sont éliminés. Plusieurs agonisent pendant des heures dans des sacs-poubelles où ils sont asphyxiés. À l'âge de 18 semaines, les femelles sont enfermées dans des cages de ponte, où elles peuvent vivre entassées pendant deux ans. Totalement frustrées par l'inactivité, elles en viennent à se donner des coups de bec les unes les autres, trouble psychique auquel on remédie par la mutilation du bec à l'aide d'une lame chauffée au rouge. Les os des poules deviennent si fragiles que 24 % d'entre elles subissent des fractures quand on les retire des cages pour les emmener à l'abattoir.

Les poulets destinés à la consommation sont séparés de leur mère à la naissance et doivent se débrouiller pour survivre dans d'énormes hangars sans fenêtres. Ils sont abattus après six ou sept semaines. Ils pèsent alors, à cause des stimulants qu'on leur administre, le double du poids qui devrait être le leur à cet âge. À la fin de la période d'élevage, certains poulets sont si infirmes qu'ils ne peuvent plus marcher et meurent de faim ou de déshydratation.

L'abattoir

«Si nous n'avions pas accepté depuis des générations de voir étouffer des animaux dans des wagons à bestiaux, ou s'y briser les pattes comme il arrive à tant de vaches et de chevaux envoyés à l'abattoir dans des conditions absolument inhumaines, personne, pas même les soldats chargés de les convoyer, n'aurait supporté les wagons des années de la dernière guerre.»

Marguerite Yourcenar

Chaque année, 45 milliards d'animaux sont tués dans le monde, dont 290 millions de bovins, 1,1 milliard de porcs, 802 millions de moutons et de chèvres, 41 milliards de volailles, pour satisfaire l'appétit de 6 milliards d'humains. Et ces chiffres ne comprennent pas les animaux morts de soif, de suffocation ou de blessures pendant le transport, avant l'abattage. La Fondation Brigitte Bardot dénonçait récemment le traitement réservé aux chevaux destinés à la consommation humaine: «Ces transports déposent des animaux tellement mutilés, après cinq jours de voyage, qu'il est parfois impossible de les amener vivants jusqu'à l'abattoir.»

Aux États-Unis, où le nombre total d'animaux tués pour leur viande s'élève à 9,4 milliards par année (plus que la population mondiale), on évalue à 11 % le nombre des animaux morts avant d'avoir atteint l'abattoir.

Avant d'arriver à leur destination finale, les animaux, affaiblis par des mois de détention, ont à subir le stress de la vente aux enchères, où on les harcèle à coups de pied et de pique électrique pour les faire avancer. Certains animaux, trop faibles pour bouger même roués de coups, sont jetés vivants dans des *containers* où ils peuvent agoniser pendant des heures. Ils sont entassés dans des camions et transportés sur des centaines de kilomètres, parfois pendant plusieurs jours, sans eau ni nourriture (même si au Canada, par exemple, la loi prévoit qu'ils doivent être abreuvés après 12 heures de route), souffrant du froid l'hiver et de la chaleur l'été. Plusieurs arrivent à l'abattoir dans un état lamentable. Un certain pourcentage, calculé par l'industrie comme faisant partie des pertes, meurt pendant le transport.

Le ministère de l'Agriculture du Québec (MAPAQ) est en voie d'élaborer des codes de pratique (à adhésion facultative) en vue du traitement sans cruauté des animaux dans les abattoirs. Mais on doute qu'ils puissent être ap-

pliqués, quand on sait qu'un employé doit abattre par exemple 180 porcs à l'heure, et qu'il n'a pas le temps d'avoir des états d'âme devant des animaux affolés qui refusent d'avancer. Même si ses règlements stipulent que tout exploitant est tenu de traiter les animaux sans cruauté avant l'abattage, le MAPAQ reconnaît lui-même que: «L'une des principales causes de la cruauté envers les animaux de boucherie provient de l'impatience manifestée par les employés devant leur indocilité à passer d'un endroit à un autre. Cette impatience se transforme en frustration, et ce sont les animaux qui écopent. Les contraintes de temps imposées […] pour suivre le rythme de la chaîne d'abattage l'emportent en général sur le souci de bien traiter les animaux.» Le ministère recommande également d'«utiliser le moins possible les aiguillons électriques, les fouets en jute ou tout autre objet approuvé, destiné à faire avancer les animaux, pour ne pas les blesser ou les exciter. Les aiguillons électriques doivent être réglés au voltage efficace le plus bas et ne doivent pas être appliqués à la région périnéale ni à l'écusson et, sauf si nécessaire, à la région faciale.» Toujours d'après le MAPAQ, une autre cause de cruauté proviendrait des défectuosités du matériel d'étourdissement ou de la négligence des employés. Ainsi, il n'est pas rare que des animaux encore conscients soient égorgés.

Mais il existe aussi des cas de cruauté délibérée; on peut penser à ces cinq employés de l'usine Olymel de Saint-Damase, congédiés parce qu'ils s'amusaient à faire exploser des poulets en leur introduisant un boyau d'arrosage à pression dans l'anus (*La Presse*, 12 octobre 2002), ou à ce conducteur accusé de négligence après que 100 des 400 porcs qu'il menait à l'abattoir eurent trouvé la mort par suffocation dans son camion (*Le Journal de Montréal*, novembre 2002).

On sait que 10 % des entreprises porcines du Québec pratiquent la mise à jeun des porcs avant l'abattage, afin d'économiser la moulée et de réduire le risque de mortalité pendant le transport ainsi que le risque de rupture lors de l'éviscération. Ce sont donc des bêtes qui n'ont pas mangé depuis parfois 30 heures qui arrivent à l'abattoir. Les porcs sont étourdis par électronarcose (on leur place une tenaille électrifiée derrière les oreilles et une autre sur le dos pour éviter les mouvements réflexes), puis on les suspend par une patte arrière avant de leur trancher la gorge. Une fois saignés, on les dépouille de leur peau par ébouillantage. Les veaux, eux, sont attachés sur un tréteau placé à 30 cm du sol, cou et tête libres, ou suspendus par les pattes arrière pour accélérer l'écoulement du sang. Ils sont égorgés vivants. L'animal respire par l'ouverture de ses bronches,

que le couteau a tranchées, pendant de longues minutes avant de mourir. Les bœufs et les vaches sont généralement étourdis à l'aide d'un pistolet pneumatique ou à cartouches, mais on remet en question cette technique depuis que différentes études ont révélé que le jonglage pratiqué sur l'animal (qui consiste à introduire une tige semi-rigide dans le crâne par le trou laissé par la tige perforante du pistolet d'abattage) pouvait provoquer la dissémination des tissus nerveux centraux et, par conséquent, des risques d'ESB (maladie de la vache folle). Le jonglage est nécessaire, car les animaux non jonglés ont des mouvements réflexes importants qui peuvent blesser les opérateurs. Les solutions proposées sont la contention des pattes de l'animal ou le recours à l'électronarcose.

Les poules, presque totalement déplumées à cause de leurs conditions de détention, et les poulets sont ramassés à la main, puis jetés dans des *containers* avant d'être chargés sur des camions. Au cours de cette opération de ramassage, la plupart d'entre eux se brisent les os. Plusieurs millions de volailles meurent de suffocation, de stress ou de faiblesse avant d'arriver à leur destination finale. Les survivantes, à leur arrivée dans la salle d'abattage, sont accrochées la tête en bas sur un rail mobile, puis on les électrocute (afin de les étourdir) avant de les égorger. Une recherche faite par l'Université de Bristol a révélé que 98 % des poules avaient les os fracturés pendant l'électrocution. Pour éviter que des éclats d'os ne se retrouvent dans la viande, on réduit alors l'intensité du courant, et les poules se font égorger alors qu'elles sont encore conscientes.

De nombreuses études ont prouvé qu'au moment de se faire tuer, les animaux émettent des toxines de stress, aggravées par la présence des humains à leurs côtés, et qui viennent s'ajouter à celles accumulées durant leurs longs mois de captivité en élevage intensif. Ces réactions de stress influencent bien sûr la vitesse du métabolisme musculaire et, par conséquent, la qualité de la viande. Elles s'inscrivent surtout comme les témoins d'une longue vie de souffrances, d'une agonie que nous digérons sans même en soupçonner l'horreur.

Si vous pensiez que l'abattage rituel est plus respectueux pour l'animal, détrompez-vous! Selon la méthode kasher: «Les animaux doivent être conscients quand on les égorge. Les animaux abattus rituellement sont enchaînés par une patte arrière, hissés dans les airs, accrochés la tête en bas sur le convoyeur de deux à cinq minutes, avant que l'abatteur ne leur tranche la gorge. Dans la pratique courante, la méthode kasher augmente considérablement le supplice que l'on impose aux animaux.» (*Se nourrir sans faire souffrir*, John Robbins.) Même agonie douloureuse et interminable pour les moutons égorgés selon les traditions islamiques, sans étourdissement préalable, pendant les fêtes rituelles de l'Aïd-el-kebir…

Pour en savoir plus long sur les méthodes d'abattage au Canada, je vous invite à consulter le site de l'Agence canadienne de l'inspection des aliments (ACIA), sous la rubrique Manuel des méthodes de l'hygiène des viandes, paragraphes 4-4 et 4-5, à l'adresse suivante: www.inspection.gc.ca

Le saviez-vous?

Les carcasses des poules pondeuses servent à la fabrication des potages en sachets, des cubes de bouillon ou de certains plats préparés.

Muet comme une carpe

«Quand des milliers de poissons, jour après jour, sont entassés par tonnes dans les filets des thoniers, qui oserait sans craindre d'être taxé de sensiblerie s'interroger sur l'énorme hurlement qui jaillirait de ces gueules béantes si les habitants des mers avaient reçu le don de la parole?»

Catherine David, «Les animaux malades de l'homme», *Le Nouvel Observateur*.

Beaucoup de gens sont persuadés que les poissons ne souffrent pas quand on les pêche. Plusieurs sont même étonnés qu'un végétarien ne mange pas de poisson, comme s'il ne s'agissait pas d'un animal! Mais les poissons, comme tous les vertébrés, ont un système nerveux qui leur permet de ressentir la douleur. Un poisson que l'on prend à l'hameçon et dont on déchire la joue souffre, de même qu'un poisson vivant qu'on ouvre en deux avec une lame. Certaines études ont démontré que le poisson dont les mouvements sont entravés ou qui se sent menacé va éprouver de l'angoisse. Quand on sort un poisson de l'eau, ses poumons se remplissent d'air, et il suffoque, de la même façon que les poumons d'un être humain qui se noierait se rempliraient d'eau.

Le saviez-vous?

Selon les Nations Unies, 100 millions de requins sont pêchés chaque année. Et ils subissent un traitement particulièrement cruel avant de disparaître: dans 98 % des cas, seules les nageoires, élément essentiel du fameux potage aux ailerons de requin, intéressent les pêcheurs. Ils amputent donc le requin de ses nageoires puis le relancent à la mer où, incapable désormais de nager, il agonise pendant des jours.

Source: «Planète trafic, tigre et cobra sur ordonnance», *Le Nouvel Observateur*, juillet 2001

Les animaux malades de l'homme

Les méthodes modernes d'élevage provoquent toujours chez les animaux de multiples maladies – affections respiratoires, diarrhées chroniques, pneumonies, fièvres, parasitoses –, qui nécessitent l'utilisation massive de médicaments de toutes sortes. On injecte ou administre par voie orale des antibiotiques, des sulfamides, des hormones, des vaccins, des anabolisants... substances toxiques qui se retrouvent en trop grande concentration dans la viande dont se nourrissent les humains. L'UCS, l'Union des scientifiques, estime qu'aux États-Unis, 11 200 tonnes d'antibiotiques, soit 70 % de la production américaine, sont administrées annuellement aux animaux de boucherie soit comme médicaments, soit en petites doses comme facteurs de croissance.

Pas étonnant que de plus en plus de médecins s'inquiètent de la résistance aux antibiotiques observée chez leurs patients... avec les conséquences que l'on connaît. Cette antibiorésistance est aussi observée chez les animaux. D'après une étude publiée en octobre 2001 dans le *New England Journal of Medecine,* 20 % de la viande en vente chez le boucher serait infectée par des bactéries résistantes aux antibiotiques.

139

Les bavures de l'industrie

Depuis quelques années, il est devenu difficile de ne pas contester les excès de l'élevage, tant les bavures s'accumulent. Quand on n'entend pas parler de bactérie *E. coli* (que l'on trouve principalement dans la viande de bœuf hachée mal cuite, et qui provoque nausées, vomissements, crampes abdominales et diarrhée, ou encore de graves troubles rénaux, et qui peut même causer la mort), c'est de salmonelle dont il est question. La salmonelle est la bactérie qui cause le plus d'intoxications alimentaires. On la trouve principalement dans la viande de volaille mal cuite. Quand ce n'est pas la *Listeria* qui frappe (une bactérie qu'on retrouve dans la volaille et qui peut provoquer la méningite), c'est la *Yersinia,* une bactérie reliée à la viande de porc, qui peut se reproduire même à des températures très froides et survivre longtemps dans l'environnement. La solution préconisée par l'industrie pour lutter contre les bactéries pathogènes? L'irradiation de la viande, qui est autorisée aux États-Unis depuis l'an 2000, même si des études ont prouvé que les doses massives de radiation ionisante utilisées peuvent causer le cancer et des variations chromosomiques chez les enfants.

En 1985, un fléau autrement plus grave que la maladie du hamburger s'abattait sur les troupeaux de bovins britanniques. L'encéphalopathie spongiforme bovine (ESB), plus connue sous le nom de maladie de la vache folle, a décimé des troupeaux entiers, risquant de provoquer chez l'humain la maladie de Creutzfeld-Jacob. En novembre 1986, des scientifiques établissaient un lien entre l'ESB et la consommation par les bovins de farine à base de carcasses de moutons infectés par la tremblante ovine et de bœufs déjà touchés par l'EBS. Par souci d'économie, on a fait des bovins non seulement des carnivores, mais des cannibales. Il est évident que cette alimentation carnée, à plus forte raison contaminée, va à l'encontre de la nature du bovin, qui est herbivore. Au nom de la rentabilité, on a provoqué une crise sans précédent dans l'industrie agricole. Bilan de l'opération: le cheptel britannique réduit à néant, 86 personnes décédées et, d'après une étude publiée en septembre 2002 dans le *British Medical Journal,* plus de 7 000 Britanniques à risques de développer une variante de la maladie de Creutzfeldt-Jakob. En octobre 2000, d'après l'Agence France Presse, les bovins français continuaient de consommer des farines contaminées par des éléments carnés, malgré l'interdiction, depuis 1990, de ce type d'alimentation. (L'interdiction a été votée au Canada en 1997.) Mais ce genre d'alimentation est encore permis pour les porcs, les volailles et les poissons. En janvier 2001, les ministres européens réunis à Bruxelles convenaient que la crise de la vache folle avait pris des proportions alarmantes, sans s'entendre toutefois sur les remèdes financiers à apporter pour compenser le coût exorbitant de l'épidémie.

En 2001, la Grande-Bretagne se trouvait aux prises avec le virus de la fièvre aphteuse, dont la propagation fulgurante dans tout le cheptel a été causée par les pratiques d'élevage intensif. En effet, il n'est pas rare que le bétail soit transporté sur 500 kilomètres avant d'être abattu dans d'immenses usines où la surpopulation décuple les risques de contagion. Cette maladie n'est pas transmissible à l'homme et n'est pas mortelle pour les animaux. Mais pour des raisons économiques, on a préféré abattre systématiquement les troupeaux, même sains, plutôt que de leur administrer un vaccin, transformant le pays en un immense bûcher dont les cendres obscurciront à jamais le paysage des campagnes anglaises. Qui ne se souvient pas de ces monceaux de carcasses calcinées et tordues qui s'ac-

cumulaient vers le ciel, victimes innocentes d'un épouvantable holocauste?

Conclusion

«Tant que l'homme continuera à être le destructeur impitoyable des êtres animés des plans inférieurs, il ne connaîtra ni la santé ni la paix. Tant que les hommes massacreront les bêtes, ils s'entretueront. Celui qui sème le meurtre et la douleur ne peut, en effet, récolter la joie et l'amour.»

Pythagore

Si les écoles organisaient des visites guidées des abattoirs pour éduquer les élèves, nul doute qu'elles finiraient par former des générations entières de végétariens. Voilà pourquoi l'industrie de la viande tient tant à garder ses secrets. Pourtant, de plus en plus de gens se demandent, de moins en moins timidement, si on ne pourrait pas, grâce aux progrès techniques, tuer les animaux de boucherie dans des conditions moins cruelles. Ne serait-il pas possible, par exemple, de donner aux bestiaux condamnés un petit somnifère pour leur éviter les angoisses de l'agonie? Ne serait-il pas préférable de revenir à des méthodes d'élevage plus traditionnelles, plus humaines, moins axées sur la rentabilité? De produire moins et d'éviter le gaspillage? Car chaque jour, des tonnes de nourriture sont jetées aux poubelles. Et le plus souvent, dans ces gigantesques usines à viande où la productivité est le mot d'ordre, on oublie que c'est d'êtres vivants qu'il s'agit. Alors que d'un côté, on nous recommande de faire de l'exercice, d'éviter le stress, de manger de façon équilibrée et d'éviter de se gaver de médicaments, de l'autre on nous incite à manger des animaux élevés dans des conditions en tous points opposées à ces directives. Les éleveurs ne s'y trompent pas, puisque la plupart d'entre eux refusent de manger le bétail qu'ils engraissent. «Je mangerais sans aucune mauvaise conscience un animal de boucherie qui a vécu en santé, a été bien nourri, a dormi dans une étable aérée et a été abattu sans cruauté», dit l'éthologue et végétarien Ian Duncan. Mais puisqu'il est prouvé qu'on peut vivre sans viande, le meil-leur moyen de protester contre le sort des animaux d'élevage est encore de ne plus en manger. Et pour ceux qui pré-disent un effondrement de notre éco-nomie si les pratiques de l'élevage intensif venaient à cesser, qu'ils se ras-surent: les esclavagistes prévoyaient eux aussi la ruine totale des États-Unis après l'abolition de l'esclavage…

Connaissez-vous la SQDA?

La Société québécoise pour la défense des animaux est un organisme à but non lucratif dont la mission est d'améliorer le sort des animaux au Québec, grâce à une législation appropriée. Pour en savoir plus, consultez le site www.sqda.org

Le cuir, c'est vache!

Pour fournir à la Ligue nationale de football les ballons dont elle a besoin pour un an, à peu près 3 000 vaches devront y laisser leur peau. Et huit autres devront être sacrifiées pour garnir de cuir l'intérieur d'une Rolls Royce. Pour en savoir plus sur l'industrie du cuir et sur son impact sur les animaux et l'environnement, consultez le site de la compagnie Via Vegan (www.viavegan.com). Cette entreprise montréalaise vend des sacs en simili-cuir et vous propose le Guide de consommation éthique de l'organisme de protection des animaux Peta, qui offre des solutions pour se vêtir sans faire souffrir.

Bibliographie

 «Les animaux malades de l'homme», *Le Nouvel Observateur*, novembre 1999.

«Les animaux ont-ils des droits», *L'Actualité*, juillet 2002.

DUPÉREY Annie, *Les chats de hasard*, Éditions du Seuil.

Guide ressources, Ressources Santé, février 2001.

JOLICŒUR Marjolaine, *Le massacre des innocents*, AHIMSA,

«Oprah dans la corrida», *Vie et Santé*, juin 2000.

DE BROUWER, Dr Louis, *Nous sommes tous des cobayes*, Éd. Guy Tredaniel.

ROBBIN John, *Se nourrir sans faire souffrir*, Éditions Stanké, Montréal.

L'élevage industriel des volailles aujourd'hui, souffrance cachée.

Farm Animal Welfare Network.

The National Society against Factory Farming.

SINGER, Peter, *La libération animale*.

MASON, Jim et SINGER, Peter, *Animal factories*, Crown Publishers inc.

INRA, *Production animale*, 15, 2002, p. 125-133.

Chapitre 4

Guide végétarien quotidien

Anne-Marie Roy, diététiste-nutritionniste

FRUITS ET LÉGUMES

Légumes

5 et plus

125 ml (½ tasse) de légumes frais
1 légume (tomate, patate, carotte, poivron…)
250 ml (1 tasse) de salade
125 ml (½ tasse) de jus de légumes

- Manger idéalement au moins la moitié des légumes crus.
- Cuire les légumes à la vapeur ou en les faisant légèrement sauter, autant que possible.
- Choisir de préférence les légumes bio, quand c'est possible.

Fruits

De 2 à 4 portions

1 fruit (orange, poire, pomme, banane…)
2 kiwis, prunes, clémentines
125 ml (½ tasse) de fruits frais
180 ml (¾ tasse) de petits fruits (fraises, framboises…)
1/2 cantaloup, pamplemousse
30 ml (2 c. à soupe) de fruits séchés

Il est préférable de manger le fruit plutôt que de boire son jus.

- Choisir au moins un légume ou un fruit de chacune des 7 couleurs apparaissant dans le tableau à la page suivante:

145

Couleur	Sources
ROUGE	tomate, pamplemousse rose, melon d'eau
MAUVE / ROUGE	Raisin rouge et bleu, bleuet, fraise, betterave, aubergine, chou rouge, poivron rouge, prune, pomme rouge, cerise noire
ORANGE	Carotte, mangue, cantaloup, courge d'hiver, patate douce
JAUNE /ORANGE	Orange, pêche, papaye, nectarine, ananas…
VERT / JAUNE	Épinard, chou collard, maïs, pois vert, avocat, melon miel…
VERT	Brocoli, chou de Bruxelles, chou vert, chou frisé (kale), bok choi
BLANC / VERT	Ail, oignon, poireau, céleri, asperge, poire, raisin vert et vin blanc

PRODUITS CÉRÉALIERS

De 5 à 12 portions

Grossesse: plus de 7

Allaitement: plus de 8

Meilleurs choix: grains entiers
125 ml (½ tasse) de riz brun, de millet, de sarrasin, de maïs, de quinoa…
Bons choix: grains entiers transformés
125 ml (½ tasse) de pâtes alimentaires, de couscous, de boulghour…
125 ml (½ tasse) de céréales chaudes (gruau, crème de blé entier…)
1 tranche de pain (varier le type de pain)
180 ml (¾ tasse) de céréales à déjeuner
1 muffin maison, 1 biscuit maison
½ bagel, 1 tortilla, 1 petit pita
1 crêpe maison
de 2 à 6 craquelins santé
30 ml (2 c. à soupe) de germe de blé

- Varier le plus possible les types de grains (ne pas manger que du blé).
- Choisir les produits céréaliers transformés à grains entiers et moulus sur pierre.

COMPLÉMENTS

De 2 à 4 portions

Grossesse: de 3 à 5 portions

125 ml (1/2 tasse) de légumineuses: lentilles, pois chiches, haricots rouges…
de 90 à 115 g (3 à 4 oz) de tofu
ou de tempeh
250 ml (1 tasse) de boisson de soya
1 saucisse ou 1 burger au soya
2 tranches de subtitut de viande au soya
80 ml (1/3 tasse) de protéines de soya texturisées
de 45 à 60 ml (3 à 4 c. à soupe) de noix ou de graines
de 45 à 60 ml (3 à 4 c. à soupe) de noix de soya
30 ml (2 c. à soupe) de beurre de noix (arachide, amande, sésame…)
de 90 à 115 g (3 à 4 oz) de seitan (gluten de blé)

- Chaque portion de ce groupe doit être accompagnée de préférence d'une bonne source de vitamine C (pour bien absorber le fer).

Fruits	Légumes
Agrumes: orange, pamplemousse, clémentine, citron, mandarine ou tangerine	Famille des choux: brocoli, chou de Bruxelles, chou vert, chou-fleur, rutabaga…
Kiwi	Poivron (rouge, vert…)
Cantaloup	Pois mange-tout
Fraise	Tomate et jus
	Asperge…

SOURCES DE CALCIUM

De 4 à 6 portions

Grossesse: de 6 à 8

Certains facteurs entraînent des pertes de calcium ou nuisent à son assimilation:
- le café
- l'excès de sel ou de sucre blanc
- les boissons gazeuses
- l'excès de protéines
- le manque d'exercice
- une alimentation déficiente en légumes et en aliments entiers

125 ml (1/2 tasse) de boisson de soya enrichie de calcium
60 ml (1/4 tasse) tofu ferme (fait de chlorure de calcium)
250 ml (1 tasse) de légumes verts (brocoli, chou frisé [kale], persil, chou pakchoy, chou collard...)
30 ml (2 c. à soupe) de tahini (beurre de sésame)
ou de graines de sésame broyées
45 ml (3 c. à soupe) de beurre d'amande ou
80 ml (1/3 tasse) d'amandes
250 ml (1 tasse) de légumineuses (haricots blancs, pinto, noirs, pois chiches...)
15 ml (1 c. à soupe) de mélasse blackstrap
5 figues
30 ml (2 c. à soupe) d'algues

Pour ceux qui ne souffrent pas d'intolérance aux produits laitiers:
125 ml (1/2 tasse) de lait de vache ou de yogourt écrémé
30 g (1 oz) de fromage écrémé

GRAS (oméga-3)

1 portion

Grossesse: 2 portions

25 ml (1½ c. à soupe) d'huile de canola biologique, de chanvre ou de noix
25 ml (5 c. à thé) de graines de lin moulues (garder réfrigérées)
7 ml (1½ c. à thé) d'huile de lin
45 ml (3 c. à soupe) de noix de Grenoble ou de graines de citrouille

VITAMINE D

De 10 à 15 minutes de soleil
250 ml (1 tasse) de boisson de soya enrichie

VITAMINE B₁₂

Pour végétaliens

un supplément de 250 à 500 microgrammes
1 ou 2 fois par semaine
15 ml (1 c. à soupe) de levure Red Star
(enrichie de B$_{12}$)
Tout autre aliment additionné de vitamine B$_{12}$:
500 ml (2 tasses) de boisson de soya,
une portion appropriée de substitut
de viande de soya (ex.: Yves Veggie Cuisine)

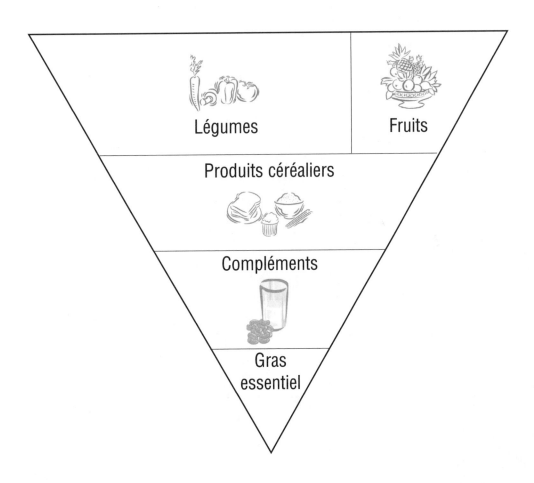

149

Chapitre 5

Prêts pour l'aventure

LE GARDE-MANGER DU VÉGÉTARIEN

Les produits précédés du symbole ✪ ne sont en vente que dans les magasins d'aliments naturels ou spécialisés.

Aliments non périssables

Aliments riches en protéines:

- Légumineuses sèches (à cuire) ou cuites (en conserve): lentilles vertes, brunes ou rouges… haricots rouges, blancs, noirs, à œils noirs… pois cassés verts, pois chiches…
- Purée de légumineuses (*refried beans*), souvent utilisée comme garniture à tortillas.
- Protéines végétales texturées (faites de protéines de soya), qu'il faut simplement réhydrater avant de les consommer. Vendues sous différentes formes:
  - en petits morceaux pour remplacer la viande hachée
  - en escalopes pour remplacer les morceaux de poulet ou de porc (ex.: marque So Soya+)
- Boisson de soya enrichie ou non enrichie (différentes saveurs)
- Fèves de soya grillées biologiques ou sans OGM

151

Trucs pour éviter les flatulences
- Augmenter votre consommation de fibres de façon graduelle; vos intestins doivent s'habituer à leur nouveau menu.
- Le trempage des légumineuses réduit les flatulences; jeter l'eau de trempage.
- Commencer par les légumineuses les plus petites: pois cassés, lentilles, fèves aduki ou haricots mungo.
- Certaines herbes ou épices peuvent réduire les flatulences: l'ail, le gingembre, le cumin, les graines de fenouil, le basilic, la feuille de laurier, l'aneth et la sauge.
- Bien cuire les légumineuses; les légumineuses croquantes sont gazogènes.
- Éviter de manger un fruit ou un dessert sucré immédiatement après le repas.
- Ajouter du kombu (une algue) à l'eau de cuisson des légumineuses; cela réduit le temps de cuisson et facilite la digestion des légumineuses.

Table de cuisson des légumineuses

Variétés pour 250 ml (1 tasse)	Quantité d'eau	DURÉE DE CUISSON	RENDEMENT
Haricots mungo	500 à 625 ml (2 à 2½ tasses)	40 à 50 minutes	500 ml (2 tasses)
Haricots blancs	750 ml (3 tasses)	1½ heure	500 ml (2 tasses)
Haricots de Lima	750 ml (3 tasses)	1½ heure	375 ml (1½ tasse)
Haricots rouges	750 ml (3 tasses)	1½ heure	500 ml (2 tasses)
Haricots noirs	750 ml (3 tasses)	1½ heure	500 ml (2 tasses)
Lentilles brunes ou vertes	500 à 625 ml (2 à 2½ tasses)	45 minutes	550 ml (2¼ tasses)
Lentilles rouges	550 ml (2 tasses)	20 à 30 minutes	500 ml (2 tasses)
Pois cassés	500 à 625 ml (2 à 2½ tasses)	30 à 50 minutes	550 ml (2¼ tasses)
Pois chiches	750 ml (3 tasses)	2½ à 3 heures	500 ml (2 tasses)
Pois entiers	750 ml (3 tasses)	1½ heure	550 ml (2¼ tasses)
Soya	750 ml (3 tasses)	3 heures	500 ml (2 tasses)

Noix et graines:

- Noix ou graines en tout genre (amandes, graines de citrouille, noix de Grenoble, graines de tournesol, graines de sésame, pignons, noix de cajou...) non salées de préférence
- ✪ Beurre naturel de noix (beurre d'arachide, d'amande, de noisette, de sésame...)
- ✪ Graines de lin (qu'on broie à l'aide du moulin à café et qu'on conserve au congélateur), pour avoir une source de gras oméga-3

> *Dans les recettes, on peut remplacer l'œuf par 15 ml (1 c. à soupe) de graines de lin moulues diluées dans 45 ml (3 c. à soupe) d'eau.*

Une salade verte toute simple deviendra savoureuse si vous y ajoutez des amandes, des pignons ou des noix de Grenoble.

On conserve les noix en écales dans l'armoire et les noix écalées, concassées ou en beurre au réfrigérateur ou au congélateur.

Pain et céréales:

- ✪ Pâtes alimentaires à grains entiers variées (blé, sarrasin, kamut, maïs, soya, riz brun…)
- • Boulghour (blé concassé) ou couscous entier
- ✪ Riz brun, orge mondé, millet, sarrasin, quinoa
- ✪ Céréales à déjeuner (Nature's Path, Lifestream…)
- • Flocons d'avoine*
- ✪ Farine* (moulue sur pierre) de blé entier, de sarrasin, de kamut…
- • Germe de blé* (non rôti de préférence)
- • Son de blé, d'avoine* ou de riz
- ✪ Craquelins entiers (au seigle, au blé, au riz…) sans shortening ou huile hydrogénée
- • Feuilles de riz pour faire des rouleaux printaniers
- * *À conserver au réfrigérateur ou au congélateur*

Grignotines:

- ✪ Chips Kettle Crisps cuites au four (85 % moins de gras)
- ✪ Tortillas chips cuites au four (Guiltless Gourmet, Mexi Snax, California Bakes…) et sauce salsa
- • Pretzel (sans huile hydrogénée)
- • Grains de maïs pour faire du pop corn à la machine, etc.

Légumes:

- • Tomates en conserve (entières ou broyées)
- • Sauces tomates de toutes sortes (Muir Glen, Antico…)
- • Légumes congelés pour dépanner (pois verts, haricots verts, épinards, asperges, maïs…)
- • Oignons biologiques (pour éviter les oignons irradiés)
- • Pommes de terre rouges, blanches et sucrées biologiques (pour éviter les pommes de terre irradiées)
- • Jus de tomate ou de légumes (Muir Glen…)
- • Tomates séchées au soleil

Fruits:

- • Fruits congelés (fraises, bleuets, framboises…)
- • Jus de fruits non sucrés, jus d'orange, jus de pomme, jus de canneberge sans sucre (pour prévenir les infections urinaires)…
- ✪ Fruits séchés non sulfurisés (raisins, figues, dattes, abricots…)

> **Choisir des fruits séchés non sulfurisés**
> La plupart des fruits séchés ont été sulfurisés pour conserver leur couleur. Certaines personnes peuvent avoir des réactions désagréables à la suite de leur ingestion.

153

Aliments prêts à manger pour les gens pressés:

- Soupe en conserve ou déshydratée (ex.: Health Valley)
- Chili végétarien prêt à manger
- Falafel, hummus, couscous… (frais ou mélange auquel on ajoute seulement de l'eau)
- ✪ Polenta en rouleaux (farine de maïs et eau)
- Aliments prêts à manger (Le Commensal, Fontaine Santé, Méditerraneo, Yves Veggie Cuisine…)
- ✪ Smoked Wheat (smoked meat à base de blé)
- etc.

Desserts:

- ✪ Barres tendres ou biscuits naturels (ex.: biscuits Graham New Morning)
- ✪ Pouding Belsoy (de soya) ou Imagine
- Cuirs de fruits de toutes sortes (barres de fruits séchés; ex.: Fruit to Go)
- ✪ Desserts glacés (Soy Dreams, Organic Soy Delicious, Rice Dreams)

Assaisonnements:

- Épices et fines herbes variées (basilic, thym, origan, sarriette, chili, poivre de Cayenne, cari, coriandre, curcuma, gingembre moulu, cannelle, muscade…)
- ✪ Sel de mer gris et Herbamare ou Seloplante (sel marin à saveur de légumes)

> *N.B.: dans toutes les recettes, il est préférable d'utiliser une préparation à base de sel de mer gris et d'herbes comme Herbamare ou Seloplante au lieu du sel régulier.*

- Fécule de maïs ou farine de marante (pour épaissir)
- ✪ Substitut d'œuf (Egg Replacer; poudre à laquelle on ajoute de l'eau)
- ✪ Caroube ou cacao en poudre (équitable)
- ✪ Agar-agar (pour remplacer la gélatine qui est d'origine animale)
- ✪ Poudre à pâte (sans alun)
- Soda à pâte
- ✪ Tamari (ou sauce soya) et sauce Bragg (sauce soya non fermentée)
- ✪ Miso (soya fermenté qui donne un goût excellent aux soupes, aux vinaigrettes et aux légumes sautés); **ne pas chauffer** pour éviter qu'il perde ses propriétés nutritives (ajouter après la cuisson)
- Moutarde en tout genre (forte, à l'ancienne…)
- ✪ Ajvar (tartinade de piments rouges et d'aubergines)

154

✪ Sauces en tout genre (sauce teriyaki, sauce à l'arachide, au cari, au gingembre, etc.)
✪ Levure alimentaire Red Star (pour ajouter à la salade, pour faire du végépâté, pour mettre dans des vinaigrettes et pour remplacer le fromage dans les plats gratinés…)
• Vinaigre balsamique
✪ Vinaigre de cidre biologique
✪ Mirin (assaisonnement liquide fait de riz et d'eau)
✪ Bouillon de légumes en poudre (marque recommandée: Celifibr)
✪ Nayonnaise (mayonnaise à base de soya et d'huile de canola)

Sucreries:
✪ Confitures sans sucre (sucrées au jus de fruits)
✪ Miel non pasteurisé
✪ Mélasse verte ou blackstrap
✪ Sucanat (SUcre de CAnne NATurel, vendu en vrac dans les magasins d'aliments naturels)

Boissons:
• Tisanes en tout genre et thé vert
✪ Café de céréales
✪ Spritzers (eau gazéifiée et jus de fruits) à la lime ou autres saveurs, pour remplacer les boissons gazeuses

Huiles (de première pression à froid):
✪ Huile de canola biologique, de chanvre, de lin ou de noix (pour les gras oméga-3)
• Huile d'olive (pour la cuisson)
✪ Huile de sésame (pour donner à vos plats un petit goût exotique)

Il est préférable de garder les huiles au réfrigérateur pour les protéger de l'oxydation. Comme l'huile d'olive fige lorsqu'elle est conservée au froid, gardez-en une petite quantité à température ambiante.

Comment bien choisir ses huiles
• Choisissez les huiles pressées à froid et de première pression.
• Achetez toujours en petite quantité.
• Choisissez des bouteilles opaques.
• Préférez les huiles qui ont une date de péremption.

Aliments périssables

Aliments riches en protéines

- Tofu régulier (aux herbes, au gingembre ou nature). Le couper en dés et le faire mariner ou sauter, ou le râper (ou l'émietter) dans différentes recettes.
- Tofu soyeux (Mori-Nu ou Sunrise) pour les mousses, les trempettes, les sauces rosées.
- Variétés de produits de soya d'Yves Veggie Cuisine
  - Saucisse à hot dog ou à déjeuner, burger
  - Substituts de viande de soya en tranches: veggie bologne, veggie bacon, veggie pepperoni
  - Sans Viande Hachée (fait de soya)
- ✪ Seitan (fait à base de protéines de blé [gluten], il remplace bien la viande; valeur nutritive moyenne)

Assaisonnements:

- Gingembre frais, gousses d'ail…
- Herbes fraîches (basilic, coriandre, persil, sauge, estragon, sarriette, romarin…)

Légumes *(la base de votre panier d'épicerie)*:

- Belle variété de légumes frais:
  - Familles des choux: brocoli, chou-fleur, kale (chou frisé), chou chinois (bok choy…), chou vert, chou de Bruxelles, rutabaga…
  - Légumes colorés: carotte régulière ou miniature, poivron de couleur, courge d'hiver (butternut, spaghetti…), betterave, navet, pois mange-tout, aubergine…
  - Légumes en feuilles: épinards, laitues variées (romaine, Boston, rouge…), cresson, radicchio…
  - Famille des oignons: oignon rouge ou jaune, échalote, poireau…
  - Autres: céleri, champignon, courgette…

Germinations de toutes sortes:

  - pousses de pois mange-tout, de moutarde, de luzerne, de tournesol, fèves germées…

Fruits *(en acheter moins que les légumes):*

> *Manger de préférence les fruits une demi-heure avant les repas ou en collation pour éviter la fermentation (les ballonnements).*

- Agrumes: orange, pamplemousse, citron…
- Melons: cantaloup, melon miel…
- Petits fruits: fraise, framboise, bleuet…
- Fruits exotiques: kiwi, mangue…
- Autres: banane, pomme, poire, pêche…

Produits céréaliers *(à grains entiers et de préférence moulus sur pierre):*
- ✪ Pains variés au levain ou à la levure (blé entier, multigrains, seigle, millet, kamut, maïs…)
- Pain pita, tortillas, bagels, petits pains bruns…
- Pâte à pizza de blé entier
- ✪ Pain de blé germé (au comptoir des produits congelés, ex.: Manna)

À la découverte de la cuisine végétarienne

Potages

Gaspacho de concombres et de raisins verts à la catalane

4 portions

Ingrédients:
- 500 g (1 lb) de raisins verts sans pépins
- 4 tranches de pain de grains entiers
- 2 concombres anglais (600 g / 20 oz chacun)
- 4 oignons verts (parties blanche et vert pâle)
- 2 gousses d'ail moyennes
- 175 g (6 oz) d'amandes effilées et grillées
- 160 ml (2/3 tasse) d'eau
- 125 ml (1/2 tasse) de tofu soyeux
- 90 ml (6 c. à soupe) d'aneth haché
- 45 ml (3 c. à soupe) de vinaigre de vin blanc
- 45 ml (3 c. à soupe) d'huile d'olive extra-vierge
- 5 ml (1 c. à thé) de sel de mer
- Poivre frais moulu

Préparation:
1. Rincer les grains de raisins et les congeler dans un bol en métal.
2. Déchiqueter la croûte du pain au robot pour la réduire en fine chapelure. Conserver la mie.
3. Réserver 8 grains de raisins coupés en deux (les garder congelés) pour la garniture.
4. Peler les concombres et les couper en tronçons de grosseur moyenne.
5. Couper les oignons verts en tronçons de grosseur moyenne.
6. Au robot, réduire l'ail pelé et 100 g (3,5 oz) d'amandes en purée.
7. Ajouter la mie de pain, l'eau et le tofu soyeux. Bien mélanger.
8. Ajouter le concombre, les échalotes, l'aneth, le vinaigre et les raisins. Réduire en purée très fine, en activant le robot pendant 3 minutes.
9. Toujours en activant le robot, ajouter l'huile en filet.
10. Saler et poivrer au goût. Réfrigérer quelques heures.
11. Servir le gaspacho glacé, garni des moitiés de grains de raisins surgelés, du reste des amandes grillées et d'aneth haché.

Gaspacho
4 portions

Ingrédients:

- 3 gousses d'ail hachées
- 1 tranche d'oignon
- 7 ml (1^1/$_2$ c. à thé) de basilic frais (ou 2 ml / ^{1}/$_2$ c. à thé de basilic séché)
- 15 ml (1 c. à soupe) de persil frais
- De 5 à 10 ml (1 ou 2 c. à thé) d'huile d'olive
- 2 tranches de pain entier, sans croûte
- 30 ml (2 c. à soupe) de poivron rouge ou vert
- 125 ml (1/2 tasse) de concombre épluché
- 375 ml (1^1/$_2$ tasse) de tomates fraîches, en dés
- 25 ml (5 c. à thé) de jus de citron
- 300 ml (1^1/$_4$ tasse) de bouillon de légumes
- Sel et poivre, au goût

Préparation:

1. Passer tous les ingrédients (sauf le jus de citron et le bouillon) au robot culinaire pour en faire une belle purée très lisse.
2. Ajouter le jus de citron et le bouillon de légumes; mélanger de nouveau.
3. Assaisonner au goût.

Servir froid.

Potage de chou-fleur

4 à 6 portions

Ingrédients:
- 1 oignon haché
- 15 ml (1 c. à soupe) d'huile d'olive
- 1,25 l (5 tasses) de bouquets de chou-fleur
- 250 ml (1 tasse) de carottes, en dés
- 500 ml (2 tasses) de bouillon de légumes
- 30 ml (2 c. à soupe) de fécule de maïs
- 375 ml (1½ tasse) de boisson de soya originale ou de lait de riz
- Sel et poivre, au goût

Préparation:
1. Faire revenir l'oignon dans l'huile.
2. Ajouter le chou-fleur, les carottes et le bouillon de légumes; faire mijoter 15 minutes.
3. Diluer la fécule de maïs dans la boisson de soya; ajouter cette préparation à la soupe.
4. Amener doucement à ébullition.
5. Retirer du feu quand la soupe est assez épaisse.
6. Saler et poivrer, au goût.

Potage aux patates douces et à la coriandre
4 à 6 portions

Ingrédients:
- 1 gros oignon rouge
- De 15 à 30 ml (1 ou 2 c. à soupe) d'huile d'olive
- 454 g (1 lb) de patates douces (2 patates moyennes) pelées, en cubes
- 300 ml (1¼ tasse) de carottes (environ 3 carottes), en cubes
- 30 ml (2 c. à soupe) de feuilles de coriandre fraîches, hachées
- 1/2 citron (zeste et jus)
- 1 l (4 tasses) de bouillon de légumes
- Poivre, au goût

Préparation:
1. Faire revenir l'oignon dans l'huile d'olive pendant 1 ou 2 minutes.
2. Ajouter les patates douces et les carottes et cuire environ 10 minutes, en remuant de temps en temps.
3. Ajouter la coriandre, le jus de citron et son zeste, le bouillon de légumes et le poivre.
4. Couvrir et laisser mijoter 40 minutes.
5. Passer au mélangeur, mais pas trop, pour qu'il reste de petits morceaux.
6. Garnir d'une feuille de coriandre.

Chaque cuillerée de cette soupe est un délice pour le palais.

Soupe au boulghour, aux épinards et au tofu
4 portions

Ingrédients:
- 30 ml (2 c. à soupe) de sauce tamari
- 150 g (5 oz) de tofu, en petits dés
- 1 gousse d'ail
- 1 petit oignon
- 15 ml (1 c. à soupe) d'huile d'olive
- 125 ml (¹/₂ tasse) de boulghour de blé ou d'épeautre
- 1 l (4 tasses) de bouillon de légumes
- 280 g (10 oz / 1 paquet) d'épinards frais
- 250 ml (1 tasse) de tomates, en dés (fraîches ou en conserve, avec le jus)
- Sel et poivre blanc, au goût
- 1 pincée de piment de Cayenne

Préparation:
1. Verser la sauce tamari sur les dés de tofu et laisser mariner.
2. Hacher finement l'ail et l'oignon.
3. À feu moyen, faire revenir l'oignon et l'ail dans l'huile. Ajouter le boulghour jusqu'à ce que celui-ci soit bien imbibé d'huile.
4. Verser le bouillon de légumes sur le boulghour et porter à ébullition. Couvrir et cuire 15 minutes à feu doux.
5. Laver les épinards, puis les égoutter et les couper en lanières.
6. Ajouter les épinards, les tomates et le tofu à la soupe.
7. Laisser mijoter 3 minutes à feu doux, jusqu'à ce que les épinards s'affaissent.
8. Saler et poivrer.
9. Ajouter un peu de piment de Cayenne avant de servir.

Le boulghour est du blé concassé. On le trouve dans les magasins de produits naturels et dans la plupart des épiceries.

Soupe citronnée aux lentilles rouges

4 à 6 portions

Ingrédients:

- 250 ml (1 tasse) de lentilles rouges non cuites
- 1 oignon rouge haché finement
- 1 gousse d'ail hachée
- 2 branches de céleri hachées finement
- 2 carottes, en dés
- 15 ml (1 c. à soupe) d'huile d'olive
- 1,25 l (5 tasses) de bouillon de légumes (marque suggérée: Harvest Sun)
- Zeste de 1 citron
- Sel et poivre blanc, au goût

Préparation:

1. Trier les lentilles pour s'assurer qu'il ne s'y trouve pas de petites roches, puis les rincer.
2. Faire revenir l'oignon, l'ail, le céleri et les carottes dans l'huile environ 5 minutes.
3. Ajouter les lentilles, le bouillon et le zeste de citron. Amener à ébullition, réduire le feu et faire mijoter de 15 à 20 minutes.
4. Si désiré, broyer le tout grossièrement au robot culinaire, au mélangeur ou au pilon (ne pas rendre la soupe trop lisse).
5. Saler et poivrer, au goût.

Facile à faire, cette soupe plaira à toute la famille.

À la découverte de la cuisine végétarienne

Sauces et vinaigrettes

Sauce Alfredo santé

Environ 4 portions

Ingrédients:
- 454 g (1 lb) de pâtes alimentaires à grains entiers (de votre choix)
- 500 ml (2 tasses) de fèves canelli ou great northern (recouvertes du liquide de cuisson)
- 500 ml (2 tasses) de boisson de soya à saveur originale (Natura, Silk, So Nice…)
- 2 ml ($^1/_2$ c. à thé) de poudre d'ail ou 2 gousses d'ail émincées
- 3 ml ($^3/_4$ c. à thé) de sel de mer (gris de préférence)
- 45 ml (3 c. à soupe) de parmesan de soya Soymage (de la marque Soyco)
- De 30 à 40 ml (2 ou 3 c. à soupe) de persil frais, haché (facultatif)
- 500 ml (2 tasses) de fleurons de brocoli
- 500 ml (2 tasses) de fleurons de chou-fleur

Préparation:
1. Cuire les pâtes en suivant le mode d'emploi sur l'emballage.
2. Passer au mélangeur les fèves et le liquide, la boisson de soya, la poudre d'ail, le sel et le parmesan de soya. Mélanger jusqu'à consistance lisse. Ajouter un peu de boisson de soya ou du jus de cuisson des fèves blanches si la sauce est trop épaisse à votre goût.
3. Cuire la sauce de 10 à 15 minutes ou jusqu'à obtention de la consistance désirée.
4. Ajouter un peu de persil frais haché, au goût, pour colorer la sauce.
5. Cuire le brocoli et le chou-fleur à la vapeur (les garder croquants).
6. Servir les pâtes, ajouter du brocoli et du chou-fleur et couvrir de sauce.
7. Décorer l'assiette de tomates fraîches.

Vous pouvez utiliser la sauce simplement pour recouvrir des légumes cuits à l'étuvée ou comme sauce blanche dans n'importe quelle recette.

À utiliser à toutes les sauces!

Sauce béchamel rapide
6 portions

Ingrédients

- 15 ml (1 c. à soupe) d'huile d'olive
- 1 petit oignon
- 1 branche de céleri
- 500 ml (2 tasses) de bouillon de légumes clair (à saveur de poulet)
- 174 ml ($^3/_4$ tasse) de boisson de soya
- 30 ml (2 c. à soupe) de fécule de maïs
- Poivre blanc au goût

Préparation:

1. Faire revenir l'oignon et le céleri dans l'huile.
2. Ajouter le bouillon de légumes et amener à ébullition.
3. Ajouter la boisson de soya.
4. Lorsque très chaud, verser la fécule de maïs.
5. Assaisonner de poivre blanc.
6. Remuer jusqu'à l'obtention d'une consistance lisse.
7. Verser sur les légumes de votre choix, cuits à la vapeur (poireaux, endives, brocoli ou asperges).

On peut faire gratiner les légumes avec de la chapelure mélangée à de l'huile d'olive assaisonnée de fines herbes, ou les servir dans une crêpe de sarrasin.

auce rosée

6 portions

Ingrédients:

- 796 ml (28 oz / 1 boîte) de tomates
- 170 g (6 oz / 1 boîte) de pâte de tomates
- 180 ml (3/4 tasse) de tofu soyeux extra-ferme (marque Mori-Nu)
- 3 gousses d'ail émincées
- 2 oignons hachés finement
- De 15 à 30 ml (1 ou 2 c. à soupe) d'huile d'olive
- 5 ml (1 c. à thé) de basilic ou 30 ml (2 c. à soupe) de basilic frais
- Sel et poivre, au goût
- Parmesan de soya ou levure Red Star (facultatif)

Préparation:

1. Passer au mélangeur ou au robot culinaire les tomates (avec le jus), la pâte de tomates et le tofu, jusqu'à ce que le mélange soit lisse.
2. Faire revenir l'ail et l'oignon dans l'huile jusqu'à ce qu'ils soient tendres.
3. Ajouter l'oignon et l'ail à la sauce et cuire à feu doux (ne pas faire tourner la sauce). Ajouter le basilic, puis saler et poivrer, au goût.
4. Servir cette sauce avec des nouilles de fantaisie à grains entiers (par exemple, boucles, fusilli, rigatoni, fettucini, coquilles…).
5. Garnir si désiré de parmesan de soya ou de levure Red Star.

C'est une recette qu'on peut très bien concocter pour ses invités.

Ne pas oublier de servir des légumes en accompagnement. Suggestions: soupe aux légumes, salade de légumes, crudités, etc. On peut aussi faire sauter des légumes et les déposer dans l'assiette, sur la sauce.

Vinaigrette délicieuse au miso

Environ 8 portions

Ingrédients:

- 180 ml (³/₄ tasse) d'huile d'olive ou de canola
- Le jus d'une grosse orange (ou autre jus)
- 3 ou 4 gousses d'ail écrasées
- 15 ml (1 c. à soupe) de miso de riz brun (dilué dans un peu de jus d'orange)
- 2 ml (¹/₂ c. à thé) de graines de coriandre écrasées
- 5 ml (1 c. à thé) de basilic en poudre
- 1 pincée de romarin
- 2 ml (¹/₂ c. à thé) de sel de mer (gris de préférence)
- 30 ml (2 c. à soupe) de vinaigre balsamique de bonne qualité
- 5 ml (1 c. à thé) de moutarde forte, sans additif

Préparation:

1. Bien mélanger tous les ingrédients pour obtenir une consistance onctueuse.
2. Assaisonner au goût.

Vous pouvez servir cette vinaigrette avec toutes sortes de salade, tant une salade verte toute simple qu'une salade jardinière de votre composition.

À la découverte de la cuisine végétarienne

Salades

Salade d'avocats au pamplemousse et aux mandarines

4 portions

Ingrédients:
- 2 avocats
- 1 pamplemousse rose
- 3 mandarines
- 2 paquets de jeunes pousses d'épinards
- Poivre rose et noir concassé, au goût
- 125 ml (¹/₂ tasse) d'amandes effilées, légèrement rôties

Vinaigrette:
- 45 ml (3 c. à soupe) d'huile d'olive
- 15 ml (1 c. à soupe) de vinaigre balsamique
- Sel et poivre

Préparation:
1. Couper les avocats en rondelles.
2. Ouvrir le pamplemousse en deux sur la largeur. Le vider à la cuillère.
3. Éplucher les mandarines et les séparer en quartiers.
4. Dans un saladier, mélanger les avocats, les épinards et les agrumes.
5. Arroser de vinaigrette et mélanger.
6. Saupoudrer de poivre et garnir d'amandes rôties. Servir immédiatement.

Salade d'avocats aux pommes

4 portions

Ingrédients:
- 2 avocats bien mûrs
- 1 pomme rouge, pelée, sans le cœur, en quartiers
- 45 ml (3 c. à soupe) d'huile d'olive
- 15 ml (1 c. à soupe) de vinaigre de vin (ou de jus de citron)
- 5 ml (1 c. à thé) de moutarde de Dijon
- Sel et poivre
- 4 feuilles de laitue, pour servir

Préparation:
1. Dans un saladier, couper les avocats en dés. Ajouter les quartiers de pomme.
2. Mélanger l'huile, le vinaigre et la moutarde dans un bol, puis verser sur la salade d'avocats.
3. Saler et poivrer, au goût.
4. Servir sur une feuille de laitue.

Salade césar santé

4 à 6 portions

Ingrédients:
- 1 grosse salade romaine déchiquetée

Vinaigrette:
- 45 ml (3 c. à soupe) d'amandes blanchies, pelées et moulues
- 3 gousses d'ail hachées
- 15 ou 30 ml (1 ou 2 c. à soupe) de moutarde de Dijon
- 45 ml (3 c. à soupe) de levure alimentaire Red Star
- De 15 à 30 ml (1 ou 2 c. à soupe) de tamari
- 45 ml (3 c. à soupe) de jus de citron
- 60 ml (¼ tasse) d'eau
- 15 ml (1 c. à soupe) d'huile d'olive
- Poivre blanc, au goût

Croûtons maison:
- 3 tranches de pain de blé entier, en petits dés
- Un soupçon d'huile d'olive
- 3 ml (¾ c. à thé) de basilic
- 3 ml (¾ c. à thé) de sauge (ou d'autres herbes, au goût)
- 3 ml (¾ c. à thé) de poudre d'ail
- Sel, au goût

Préparation:
1. Préchauffer le four à 160 °C (325 °F).
2. Au mélangeur ou au robot culinaire, mélanger tous les ingrédients de la vinaigrette jusqu'à l'obtention d'une consistance lisse.
3. À l'aide d'un pinceau, badigeonner le pain d'huile d'olive.
4. Déposer les épices dans un bol et ajouter les dés de pain. Remuer pour bien enrober.
5. Déposer les dés de pain sur une tôle à pâtisserie et cuire au four jusqu'à ce qu'ils soient bien secs (de 10 à 15 minutes).
6. Mêler la salade déchiquetée, les croûtons et la vinaigrette. Servir.

Salade de légumineuses
6 portions

Ingrédients:
- 1 poivron rouge, en morceaux
- 1 poivron jaune, en morceaux
- 6 grosses échalotes hachées
- 1 concombre, en morceaux (avec la pelure)
- 2 grosses tomates, en dés
- 540 ml (19 oz / 1 boîte) de haricots rouges cuits, rincés et égouttés
- 540 ml (19 oz / 1 boîte) de pois chiches cuits, rincés et égouttés

Vinaigrette:
- 60 ml (¹/₄ tasse) de jus de citron (concentré ou frais)
- 30 ml (2 c. à soupe) de vinaigre de vin rouge ou balsamique
- 30 ml (2 c. à soupe) de tamari
- 5 ml (1 c. à thé) de moutarde forte
- 1 ou 2 gousses d'ail écrasées
- 2 ml (¹/₄ c. à thé) d'origan
- 30 ml (2 c. à soupe) d'huile de canola pressée à froid (ou d'huile d'olive)
- 15 ml (1 c. à soupe) de tahini (beurre de sésame, facultatif)
- Sel et poivre, au goût

Préparation:
1. Dans un grand bol, déposer tous les légumes et les légumineuses.
2. Préparer la vinaigrette.
3. Verser la vinaigrette sur la salade. Pour plus de saveur, laisser macérer quelques heures.

Servir avec du pain de grains entiers, ou encore comme garniture dans un pain pita ou une tortilla. Cette salade constitue un lunch savoureux!

Salade de lentilles et de légumes tièdes

4 à 6 portions

Ingrédients:
- 30 ml (2 c. à soupe) d'huile d'olive
- 1 poivron rouge, en lanières
- 1 poivron jaune, en lanières
- 2 courgettes moyennes, en rondelles
- 1 oignon moyen, émincé
- 450 g (1 lb) de lentilles cuites (si elles sont en conserve, bien les rincer)
- 2 tomates moyennes, en morceaux
- 30 ml (2 c. à soupe) de tomates séchées, dans l'huile ou réhydratées
- Basilic frais, au goût
- 15 ml (1 c. à soupe) de vinaigre balsamique
- Sel et poivre, au goût
- Grosses olives noires, pour garnir

Préparation:
1. Chauffer l'huile dans une grande poêle. Y mettre les poivrons, les courgettes et l'oignon, et les faire dorer à feu vif en remuant de temps à autre.
2. Ajouter les lentilles cuites. Remuer et ajouter les tomates fraîches, les tomates séchées, le basilic et le vinaigre balsamique.
3. Saler et poivrer, puis faire chauffer en remuant.
4. Déposer dans un plat et garnir d'olives.

Variante: on peut remplacer les lentilles par un autre type de légumineuse.

Salade de pâtes

4 portions

Ingrédients:
- 454 g (1 lb) de rotini
- 60 ml (¼ de tasse) d'huile d'olive
- 15 ml (1 c. à soupe) de vinaigre de vin rouge
- 4 gousses d'ail finement hachées
- Sel et poivre, au goût
- 1 poivron vert, en lanières
- 1 poivron rouge, en lanières
- 60 ml (¼ tasse) de basilic frais, haché
- 398 ml (14 oz / 1 boîte) de fonds d'artichauts en morceaux (ou de fonds d'artichauts frais)
- 398 ml (14 oz / une boîte) de cœurs de palmier
- 1 tomate, en dés
- Une douzaine d'olives noires, en moitiés

Préparation:
1. Dans une casserole d'eau bouillante, cuire les pâtes jusqu'à ce qu'elles soient al dente (environ 10 minutes). Égoutter et rincer à l'eau froide.
2. Dans un grand bol, mélanger l'huile, le vinaigre, l'ail, le sel et le poivre.
3. Ajouter les poivrons, le basilic, les fonds d'artichauts, les cœurs de palmier et les pâtes. Mélanger pour bien enrober tous les ingrédients. Laisser refroidir complètement.
4. Au moment de servir, ajouter les dés de tomate et les olives. Bien mélanger.

180

Salade de quinoa
4 à 6 portions

Ingrédients:
- 250 ml (1 tasse) de quinoa
- 5 ml (1 c. à thé) de sel
- 2 grosses carottes cuites, en dés
- 125 ml (1/2 tasse) de maïs
- 4 échalotes hachées (ou un oignon rouge haché)
- 1 grosse tomate, en morceaux
- 1 poivron rouge (ou d'une autre couleur), en dés
- 60 ml (1/4 tasse) de persil frais (ou de basilic frais)

Vinaigrette:
- 15 ml (1 c. à soupe) d'huile olive
- 15 ml (1 c. à soupe) de tahini (beurre de sésame, facultatif)
- 45 ml (3 c. à soupe) de jus de citron frais
- 2 gousses d'ail finement hachées
- 15 ml (1 c. à soupe) de tamari ou de sauce Bragg
- 5 ml (1 c. à thé) de moutarde de Dijon
- 5 ml (1 c. à thé) de miel non pasteurisé (facultatif)
- Sel et poivre, au goût

Préparation:
1. Faire cuire le quinoa dans 500 ml (2 tasses) d'eau salée, à couvert, de 20 à 25 minutes, ou jusqu'à ce qu'il ne reste plus d'eau dans le chaudron.
2. Laisser refroidir à l'air.
3. Mélanger tous les ingrédients de la vinaigrette.
4. Ajouter les légumes préparés au quinoa.
5. Arroser de vinaigrette, mélanger et déguster.

Le quinoa est un grain de très grande qualité nutritive. On dit qu'il est la Cadillac des grains, le plus nutritif de tous.

Salade de boulghour aux fèves

4 à 6 portions

Ingrédients:
- 250 ml (1 tasse) de boulghour non cuit ou 750 ml (3 tasses) de boulghour cuit
- 250 ml (1 tasse) de fèves de Lima surgelées
- 250 ml (1 tasse) de petits pois surgelés
- 250 ml (1 tasse) de tomates cerises coupées en deux (ou 2 tomates, en dés)
- 1 oignon espagnol haché
- 1 poivron rouge haché
- 60 g (2 oz) de cresson
- 15 ml (1 c. à soupe) de persil frais, haché
- 15 ml (1 c. à soupe) de basilic frais, haché
- 15 ml (1 c .à soupe) de thym frais, haché

Vinaigrette:
- 45 ml (3 c. à soupe) d'huile de noisette
- 15 ml (1 c. à soupe) de vinaigre de vin
- 5 ml (1 c. à thé) de moutarde forte
- Sel et poivre, au goût

Préparation:
1. Faire cuire le boulghour de 15 à 20 minutes dans 500 ml (2 tasses) d'eau.
2. Égoutter le boulghour et le verser dans un saladier.
3. Cuire les fèves et les petits pois 3 minutes dans l'eau bouillante. Égoutter et ajouter au boulghour.
4. Ajouter les tomates cerises, l'oignon, le poivron et les feuilles de cresson. Bien mélanger.
5. Ajouter les aromates et la vinaigrette. Saler et poivrer.
6. Servir la salade immédiatement ou après l'avoir laissée refroidir.

Salade aux poires, aux portobellos et aux pacanes

4 portions

Ingrédients:
- 125 ml (¹/₂ tasse) de pacanes
- 500 ml (2 tasses) de champignons portobellos tranchés
- 45 ml (3 c. à soupe) d'huile d'olive
- 2 bottes de roquette (arugula)
- 750 ml (3 tasses) de jeunes pousses d'épinards
- 2 poires pelées, sans le cœur, en quartiers

Vinaigrette:
- 45 ml (3 c. à soupe) d'huile d'olive
- 15 ml (1 c. à soupe) de vinaigre balsamique
- 15 ml (1 c. à soupe) de jus de poire
- Sel et poivre, au goût

Préparation:
1. Faire griller les pacanes sous le gril, à puissance modérée.
2. Faire sauter les portobellos dans l'huile d'olive.
3. Dans un bol, mêler la roquette et les épinards avec les champignons, les pacanes et les poires.
4. Arroser de vinaigrette et servir.

aboulé

4 à 6 portions

Ingrédients:
- 375 ml (1¹/₂ tasse) d'eau bouillante
- 15 ml (1 c. à soupe) d'huile d'olive
- 125 ml (¹/₂ tasse) de couscous
- 750 ml (3 tasses) de persil frais
- 60 ml (¹/₄ tasse) de menthe fraîche, hachée
- 125 ml (¹/₂ tasse) de jus de citron
- 2 grosses tomates, en dés
- Sel et poivre, au goût

Préparation:
1. Verser l'eau bouillante additionnée d'huile sur le couscous, couvrir et laisser reposer 5 minutes ou jusqu'à ce que l'eau soit absorbée. Séparer les grains à la fourchette. Laisser refroidir complètement.
2. Hacher le persil et la menthe au robot culinaire ou au mélangeur. Les ajouter au couscous refroidi, ainsi que les tomates et le jus de citron. Mélanger.
3. Saler et poivrer, au goût.

À la découverte de la cuisine végétarienne

Plats principaux

Aubergines aux noisettes

4 à 6 portions

Ingrédients:
- 250 ml (1 tasse) de riz brun
- 2 aubergines moyennes, coupées en deux sur la longueur
- 1 oignon haché
- 2 gousses d'ail écrasées
- 1 petit poivron vert haché
- 2 branches de céleri, en morceaux
- 125 ml (¹/₂ tasse) de carottes, en dés
- 250 ml (1 tasse) de champignons, en rondelles
- 45 ml (3 c. à soupe) d'huile d'olive
- 250 ml (1 tasse) de cheddar râpé (facultatif)
- 1 œuf battu ou substitut d'œuf
- 3 ml (³/₄ c. à thé) de romarin
- Sel et poivre, au goût
- 30 ml (2 c. à soupe) de noisettes hachées

Préparation:
1. Préchauffer le four à 190 °C (375 °F).
2. Faire cuire le riz en suivant le mode d'emploi sur l'emballage. Égoutter et laisser refroidir.
3. Évider les aubergines et en hacher la chair. Faire blanchir les moitiés évidées 4 minutes, puis les égoutter à l'envers.
5. Faire sauter la chair des aubergines, l'oignon, l'ail, le poivron, le céleri, les carottes et les champignons dans l'huile 5 minutes.
6. Incorporer le riz, le fromage (facultatif), l'œuf ou le substitut d'œuf, le romarin, le sel et le poivre à la préparation à l'aubergine.
7. Déposer les moitiés d'aubergine évidées dans un plat allant au four et les remplir de préparation au riz. Répartir les noisettes dessus. Cuire au four 25 minutes.

Aubergines parmigiana
4 à 6 portions

Ingrédients:

- 3 aubergines moyennes, en rondelles
- 1 oignon haché finement
- 8 tomates pelées et hachées (ou 2 boîtes de tomates pelées)
- 125 ml (1/2 tasse) de basilic frais, haché
- Farine pour saupoudrer
- 150 g (5 oz) de parmesan râpé (ou de parmesan de soya)
- 250 g (1/2 lb) de mozzarella ou de mozzarella de soya râpée (facultatif)
- Sel et poivre
- Huile d'olive
- Sauce tomate

Préparation:

1. Préchauffer le four à 200 °C (400 °F).
2. Dans une passoire, au-dessus d'un évier, saupoudrer les rondelles d'aubergine de sel et les recouvrir d'une assiette. Laisser dégorger 30 minutes.
3. Faire chauffer 15 ml (1 c. à soupe) d'huile d'olive dans une poêle. Y faire revenir l'oignon. Ajouter les tomates et le basilic; bien mélanger. Laisser mijoter sans couvrir jusqu'à ce que la sauce épaississe.
4. Rincer les aubergines à l'eau froide. Les sécher sur du papier absorbant et les saupoudrer de farine.
5. Faire rôtir les rondelles d'aubergine dans un peu d'huile dans une poêle antiadhésive, ou encore, les badigeonner d'huile et les faire griller de chaque côté en les plaçant sous le gril.
6. Huiler un plat allant au four. Y déposer une couche de rondelles d'aubergine, verser un peu de sauce tomate, parsemer de parmesan, puis de mozzarella et répéter l'opération (aubergines, sauce tomate, fromage), en terminant par une couche de sauce tomate et de parmesan.
7. Mettre au four et cuire 30 minutes. Servir chaud.

Boulettes de millet et pâtes
21 boulettes (7 portions)

Ingrédients:
- 15 ml (1 c. à soupe) de graines de lin moulues, additionnées de 45 ml (3 c. à soupe) d'eau OU de 15 ml (1 c. à soupe) de substitut d'œuf en poudre reconstitué dans 60 ml (1/4 de tasse) d'eau
- 500 ml (2 tasses) de millet cuit
- 60 ml (1/4 tasse) d'oignon jaune émincé
- 125 ml (1/2 tasse) de champignons blancs (de Paris) hachés
- 2 gousses d'ail hachées ou 2 ml (1/2 c. à thé) de poudre d'ail
- 15 ml (1 c. à soupe) de basilic ou de persil séché
- Poivre noir, au goût
- 15 ml (1 c. à soupe) de tamari
- 5 ml (1 c. à thé) de sel de mer (de préférence)
- 125 ml (1/2 tasse) de chapelure de pain (ou plus, au besoin)
- 1,5 l (6 tasses) de sauce tomate marinara (en conserve ou maison)
- Pâtes au choix

Préparation:
1. Préchauffer le four à 160 °C (325 °F)
2. Dans un bol, mélanger tous les ingrédients, excepté la chapelure de pain, la sauce et les pâtes.
3. Ajouter suffisamment de chapelure, en remuant, pour obtenir un mélange assez ferme pour former des boulettes.
4. Humecter les mains et former des boulettes. Utiliser 25 ml (5 c. à thé) de mélange par boulette, afin d'obtenir une vingtaine de boulettes.
5. Placer les boulettes sur une tôle huilée. Cuire au four 30 minutes.
6. Servir sur des pâtes avec de la sauce tomate.

Pour cuire le millet, amener 250 ml (1 tasse) de millet et 625 ml (2¹/₂ tasses) d'eau à ébullition. Couvrir et réduire le feu à moyen. Cuire 15 minutes. Retirer du feu et laisser reposer 20 minutes à découvert. Donne 750 ml (3 tasses) de millet.

Casserole d'automne

4 portions

Ingrédients:
- 1 oignon haché
- 60 ml (¹/₄ tasse) d'huile d'olive
- 2 aubergines, en dés
- 3 courgettes, en rondelles
- 1 poivron vert, en lanières
- 4 tomates fraîches, blanchies et pelées
- 45 ml (3 c. à soupe) d'herbes de Provence
- 2 gousses d'ail écrasées
- 3 petites pommes de terre nouvelles, en dés
- 250 ml (1 tasse) de fèves de soya ou de pois chiches (cuits ou en boîte)
- Sel et poivre, au goût
- 250 ml (1 tasse) d'épinards

Préparation:
1. Dans une grande casserole, faire revenir l'oignon dans l'huile d'olive.
2. Ajouter les dés d'aubergine. Cuire 2 minutes à feu moyen.
3. Ajouter les rondelles de courgette et les lanières de poivron. Cuire 2 minutes de plus. Rajouter de l'huile d'olive si nécessaire.
4. Ajouter les tomates en morceaux, les herbes de Provence et les gousses d'ail. Cuire jusqu'à ce que les tomates soient tendres.
5. Ajouter les pommes de terre et le soya (ou les pois chiches). Saler et poivrer, puis laisser mijoter jusqu'à ce que les légumes soient bien tendres (environ 35 minutes). Ajouter les épinards 3 minutes avant la fin de la cuisson.

hili sin carne

4 portions

Ingrédients:
- 1 oignon haché
- 250 ml (1 tasse) de céleri haché, avec les feuilles
- 2 gousses d'ail hachées
- 15 ml (1 c. à soupe) d'huile d'olive
- 250 ml (1 tasse) de maïs en grains (surgelé de préférence)
- 1 poivron vert ou rouge, en morceaux
- 796 ml (28 oz / 1 boîte) de sauce tomate
- 2 ml (1/2 c. à thé) d'origan
- 2 ml (1/2 c. à thé) de basilic
- 2 ml (1/2 c. à thé) de sel
- De 7 à 10 ml (1 1/2 ou 2 c. à thé) de poudre de chili
- 500 ml (2 tasses) de haricots rouges cuits, rincés et égouttés
- 1/2 paquet de Sans Viande Hachée (Yves Veggie Cuisine), facultatif

Préparation:
1. Faire revenir l'oignon, le céleri et l'ail dans l'huile.
2. Ajouter les autres légumes et faire revenir 5 minutes.
3. Ajouter la sauce tomate et les épices. Faire mijoter 15 minutes.
4. Ajouter les haricots rouges et le Sans Viande Hachée; chauffer 2 ou 3 minutes.

Vous pouvez servir le chili avec une bonne tranche de pain entier ou l'accompagner de riz brun, de couscous ou de pommes de terre au four.

Choucroute et saucisses

4 portions

Ingrédients:
- 2 oignons, en gros morceaux
- 30 ml (2 c. à soupe) d'huile d'olive pressée à froid
- 500 ml (2 tasses) de chou vert lacto-fermenté (choucroute)
- 250 ml (1 tasse) de bouillon de légumes (marque suggérée: Harvest Sun)
- 3 pommes de terre cuites, avec la pelure, en morceaux
- 1 paquet de 6 saucisses à hot dog de soya, en morceaux (Yves Veggie Cuisine)

Préparation:
1. Faire revenir les oignons dans l'huile d'olive.
2. Ajouter la choucroute et le bouillon. Amener à ébullition, couvrir et laisser mijoter environ 20 minutes.
3. Ajouter les pommes de terre cuites et les saucisses. Laisser réchauffer environ 5 minutes.
4. Déguster!

Gaspacho de concombres
et de raisins verts à la catalane
(page 161)

Potage
aux patates douces
et à la coriandre
(page 164)

Soupe au boulghour,
aux épinards et au tofu
(page 165)

Salade d'avocats
au pamplemousse
et aux mandarines
(page 175)

Salade de boulghour
aux fèves (page 182)

Salade aux poires,
aux portobellos et aux pacanes
(page 183)

Salade
de quinoa
(page 181)

Sandwichs: végépâté, garniture aux «œufs» (tofu), hummus
(pages 212, 227 et 221 respectivement)

Pâtes au sésame
et au chou kale
(page 200)

Choucroute
et saucisses
(page 192)

Croquettes
de tofu et d'avoine
(page 226)

Boulettes
de millet
et pâtes
(page 189)

Tarte aux tomates et au basilic
(page 209)

Tourtière
au millet
(page 210)

Pâté chinois aux lentilles
(page 218)

Légumes farcis
à la grecque
(page 195)

Légumes orientaux
et tofu
(page 229)

Quiche au poireau et au tofu (page 204)

Pizza jardinière (page 203)

Ragoût
à la marocaine
(page 206)

Brownies au soya et mousse au chocolat
(pages 236 et 238 respectivement)

Courgettes au citron
4 portions

Ingrédients:
- 600 g (1¼ lb) de courgettes, coupées en deux sur la longueur, en fines rondelles (5 mm / 1/8 po)
- 30 ml (2 c. à soupe) d'huile d'olive
- 2 gousses d'ail finement hachées
- 5 ml (1 c. à thé) de thym
- 2 ml (1/2 c. à thé) de poivre noir, moulu
- 1 ml (1/4 c. à thé) de sel
- Jus de 1 citron

Préparation:
1. Déposer les rondelles de courgette sur une plaque à pâtisserie.
2. Dans un bol, mélanger l'huile, l'ail, le thym et le poivre.
3. Badigeonner les courgettes avec le mélange à l'huile. Cuire les courgettes sous le gril préchauffé 5 ou 6 minutes, ou jusqu'à ce qu'elles soient tendres.
4. Saupoudrer de sel, arroser de jus de citron et servir.

Couscous végétarien
4 à 6 portions

Ingrédients:

- De 30 à 45 ml (2 ou 3 c. à soupe) d'huile d'olive
- 250 ml (1 tasse) d'oignons hachés
- 2 petits navets, en morceaux
- 125 ml (¹/₂ tasse) de haricots verts
- 2 grosses carottes, en rondelles
- 1 ml (¹/₄ c. à thé) de sel
- 30 ml (2 c. à soupe) de jus de citron
- 1 pied de brocoli, en morceaux
- 1 l (4 tasses) de bouillon de légumes
- 500 ml (2 tasses) de pois chiches (cuits ou en conserve)
- 80 ml (¹/₃ tasse) de raisins secs
- 2 ml (¹/₂ c. à thé) de paprika
- 5 ml (1 c. à thé) de graines de cumin
- Poivre noir moulu, au goût
- 1 pincée de piment de Cayenne, au goût
- 1 l (4 tasses) de millet cuit
- 125 ml (¹/₂ tasse) de noix de cajou, en morceaux

Préparation:

1. Faire chauffer l'huile dans une grande casserole et y faire revenir les oignons, les navets, les haricots et les carottes 2 ou 3 minutes. Ajouter le sel, le jus de citron et le brocoli.
2. Ajouter le bouillon de légumes. Porter à ébullition, couvrir et cuire à feu doux environ 10 minutes ou jusqu'à ce que les légumes soient tendres.
3. Ajouter les pois chiches, les raisins secs, le paprika, les graines de cumin, le poivre et le piment de Cayenne. Couvrir et laisser mijoter 2 minutes.

Servir sur un lit de millet ou de semoule de blé (couscous), et parsemer de noix de cajou.

Légumes farcis à la grecque

4 portions

Ingrédients:

- 1 aubergine
- 1 gros poivron rouge (ou vert, ou jaune)
- 2 grosses tomates
- 1 gros oignon haché
- 2 branches de céleri émincées
- 2 gousses d'ail écrasées
- 30 ml (2 c. à soupe) d'huile d'olive
- 200 g (7 oz) de riz brun
- 625 ml (2½ tasses) de bouillon de légumes
- 80 ml (⅓ tasse) de pignons
- 60 ml (¼ tasse) de graines de tournesol décortiquées
- 45 ml (3 c. à soupe) de raisins secs
- 45 ml (3 c. à soupe) d'abricots séchés
- 45 ml (3 c. à soupe) d'aneth frais, haché
- 45 ml (3 c. à soupe) de persil frais, haché
- 15 ml (1 c. à soupe) de menthe fraîche, hachée
- Sel et poivre, au goût
- 2 ou 3 traits de sauce Tabasco
- Huile d'olive, pour arroser

Préparation:

1. Préchauffer le four à 190 °C (375 °F).
2. Couper l'aubergine en deux, l'évider et hacher finement la chair qu'on en a retirée. Saler l'intérieur et laisser égoutter 20 minutes, à l'envers.
3. Couper le poivron épépiné en deux. Couper le dessus des tomates, les évider et hacher grossièrement la chair et les chapeaux.
4. Faire revenir l'oignon, l'ail et la chair d'aubergine dans l'huile 10 minutes. Ajouter le riz et laisser cuire 2 minutes.
5. Ajouter la chair des tomates, le bouillon, les pignons, les graines de tournesol, les raisins secs et les abricots. Porter à ébullition, couvrir et laisser frémir 15 minutes.

6. Ajouter les herbes fraîches. Saler et poivrer, et ajouter de la sauce Tabasco au goût.
7. Faire blanchir les moitiés d'aubergine évidées et de poivron 3 minutes, puis les égoutter à l'envers.
8. Garnir l'intérieur des légumes de farce au riz. Les placer dans un plat allant au four légèrement huilé.
9. Arroser les légumes d'huile d'olive et cuire de 25 à 30 minutes.

Vous pouvez servir cette recette avec une sauce tomate ou un coulis.

Moussaka végétarienne
8 portions

Ingrédients:

- 2 grosses aubergines, en tranches de 5 mm (1/8 po) d'épaisseur
- 4 courgettes, en rondelles
- 160 ml ($^2/_3$ tasse) d'huile d'olive
- 125 ml ($^1/_2$ tasse) d'oignons hachés
- 2 gousses d'ail écrasées
- 2 carottes, en fines rondelles
- 125 ml ($^1/_2$ tasse) de céleri haché
- 125 ml ($^1/_2$ tasse) de poivron vert haché
- 500 ml (2 tasses) de champignons, en rondelles
- 540 ml (19 oz / 1 boîte) de tomates
- 156 ml ($5^1/_2$ oz / 1 boîte) de pâte de tomates
- 5 ml (1 c. à thé) de basilic
- 2 ml ($^1/_2$ c. à thé) d'origan séché
- 1 ml ($^1/_4$ c. à thé) de thym séché
- 2 ou 3 traits de Tabasco
- 5 ml (1 c. à thé) de sel
- 5 ml (1 c. à thé) de poivre
- 2 œufs
- 500 ml (2 tasses) de fromage cottage
- 1 pincée de muscade
- 250 ml (1 tasse) de mozzarella râpée
- 250 ml (1 tasse) de gruyère râpé
- 160 ml ($^2/_3$ tasse) de parmesan

(Vous pouvez remplacer le mélange de fromage par un mélange de mozzarella et de parmesan de soya, dans les mêmes proportions.)

Préparation:

1. Préchauffer le four à 350 °F (180 °C).
2. Placer les tranches d'aubergine et les rondelles de courgette sur des plaques à pâtisserie. Les saler de chaque côté et les badigeonner d'huile. Cuire sous le

gril préchauffé du four environ 5 minutes ou jusqu'à ce qu'elles soient dorées. (Retourner les tranches d'aubergine une fois en cours de cuisson.) Réserver.

3. Dans une grande casserole, chauffer l'huile d'olive à feu moyen-vif. Ajouter les oignons, l'ail, les carottes et le céleri. Cuire de 3 à 5 minutes ou jusqu'à ce que les légumes soient tendres. Ajouter le poivron vert et les champignons, et cuire de 3 à 5 minutes ou jusqu'à ce que les légumes soient tendres.

4. Ajouter les tomates, la pâte de tomates, le basilic, l'origan, le thym, la sauce Tabasco, le sel et le poivre. Mélanger. Cuire 20 minutes ou jusqu'à ce que la garniture aux légumes ait légèrement épaissi. Réserver.

5. Entre-temps, battre les œufs, y ajouter le fromage cottage et la muscade et mélanger. Saler et poivrer. Réserver.

6. Dans un autre bol, mélanger la mozzarella, le gruyère et le parmesan (ou les fromages de soya). Réserver.

7. Dans un plat allant au four, étendre les tranches d'aubergine et de courgette, les recouvrir de la sauce aux légumes (la moitié du mélange réservé), puis de la garniture aux œufs. Répandre par-dessus la moitié du mélange des trois fromages. Étendre le reste des aubergines et des courgettes, puis recouvrir du reste de la garniture aux légumes. Ajouter par-dessus ce qui reste du mélange de fromages. Cuire au four de 35 à 45 minutes.

Pak choy à la japonaise
4 portions

Ingrédients:
- 1 petit chou pak choy (ou la moitié d'un gros)
- 1 oignon émincé
- De 15 à 30 ml (1 ou 2 c. à soupe) d'huile d'olive
- 3 gousses d'ail hachées
- 30 ml (2 c. à soupe) de racine de gingembre hachée
- 1 carotte, en rondelles
- 250 ml (1 tasse) de bouquets de brocoli
- 1 poivron rouge, en lamelles

Sauce:
- De 30 à 45 ml (2 ou 3 c. à soupe) de tamari
- 15 ml (1 c. à soupe) de fécule de maïs
- 250 ml (1 tasse) de bouillon de légumes
- 15 ml (1 c. à soupe) de miso (dilué dans un peu d'eau)
- De 5 à 10 ml (1 ou 2 c. à thé) d'huile de sésame rôti
- De 15 à 30 ml (1 ou 2 c. à soupe) de graines de sésame grillées

Préparation:
1. Couper le pied du chou pak choy en gros morceaux et hacher les feuilles vertes.
2. Faire revenir l'oignon dans l'huile d'olive.
3. Ajouter l'ail, le gingembre et la carotte. Cuire 2 minutes.
4. Ajouter les morceaux du pied du pak choy et le brocoli. Cuire 2 minutes.
5. Ajouter le poivron rouge et les feuilles hachées du pak choy. Cuire 2 minutes.
6. Ajouter le tamari.
7. Diluer la fécule de maïs dans le bouillon de légumes et ajouter aux légumes. Amener à ébullition.
8. Quand la sauce a épaissi, retirer du feu et ajouter le miso dilué dans un peu d'eau.
9. Retirer du feu et ajouter l'huile de sésame.
10. Servir sur un nid de riz brun et saupoudrer de graines de sésame grillées.

Pâtes au sésame et au chou kale (chou frisé)
Recette d'exécution très rapide
3 ou 4 portions

Ingrédients:
- ¹/₂ paquet (227 g / ¹/₂ livre) de pâtes de blé et de sarrasin (pâtes soba)
- 1 chou kale (chou frisé), lavé et coupé grossièrement
- 30 ml (2 c. à soupe) d'huile de sésame rôti
- 30 ml (2 c. à soupe) de tamari (ou plus, au goût)
- 30 ml (2 c. à soupe) de graines de sésame grillées (facultatif)

Préparation:
1. Cuire les pâtes en suivant le mode d'emploi sur l'emballage (6 minutes).
2. Cuire le chou kale à la vapeur jusqu'à ce qu'il soit tendre (environ 6 minutes).
3. Déposer les pâtes et le chou kale dans un grand plat.
4. Ajouter l'huile de sésame rôti et le tamari.
5. Mélanger le tout.
6. Servir et garnir de graines de sésame.

Peut être accompagné de légumes frais (tomates, salade, concombres…).

Pâtes aux épinards, aux pois chiches et aux raisins secs

4 portions

Ingrédients:

- 500 ml (2 tasses) de penne
- 45 ml (3 c. à soupe) d'huile d'olive
- 4 gousses d'ail broyées
- 280 g (10 oz / 1 paquet) d'épinards frais
- 540 ml (19 oz / 1 boîte) de pois chiches
- 2 ml ($^1/_2$ c. à thé) de sel
- 125 ml ($^1/_2$ tasse) de raisins secs dorés
- 1 ml ($^1/_4$ c. à thé) de poudre de piment fort
- 125 ml ($^1/_2$ tasse) de bouillon de légumes

Préparation:

1. Cuire les pâtes de 8 à 10 minutes dans une grande casserole d'eau bouillante. Les égoutter, puis les remettre dans la casserole.
2. Entre-temps, chauffer l'huile à feu moyen dans un grand poêlon. Y faire revenir l'ail environ 3 minutes. À feu vif, ajouter les épinards, les pois chiches, le sel, les raisins secs et le piment fort. Mélanger. Cuire 2 ou 3 minutes.
3. Ajouter le bouillon de légumes et cuire jusqu'à ce que la sauce soit chaude.
4. Verser la sauce sur les pâtes et remuer. Servir aussitôt.

Farfalle aux tomates séchées et aux olives noires

4 portions

Ingrédients:
- 500 ml (2 tasses) de farfalle
- 30 ml (2 c. à soupe) d'huile d'olive
- 3 gousses d'ail hachées finement
- 80 ml (1/3 tasse) de tomates séchées, hachées
- 425 ml (1 3/4 tasse) de bouillon de légumes
- 125 ml (1/2 tasse) d'olives noires dénoyautées, hachées
- 60 ml (1/4 tasse) de persil frais, haché
- 60 g (2 oz) de fromage de chèvre émietté (ou 60 ml / 1/4 tasse de parmesan de soya)

Préparation:
1. Cuire les pâtes de 8 à 10 minutes dans une grande casserole d'eau bouillante. Les égoutter et les remettre dans la casserole.
2. Entre-temps, dans une poêle, chauffer l'huile à feu moyen. Y ajouter l'ail et cuire 30 secondes. Ajouter les tomates séchées et le bouillon de légumes. Porter à ébullition et laisser mijoter 10 minutes. Ajouter les olives noires et le persil et mélanger.
3. Verser la sauce sur les pâtes et bien mélanger. Parsemer de fromage de chèvre (ou de parmesan de soya). Servir aussitôt.

Pizza jardinière

4 à 6 portions

Ingrédients:
- 1 pâte à pizza de blé entier de 23 cm (9 po) de diamètre (marque suggérée: Nutriforce)

Sauce:
- 250 ml (1 tasse) de sauce tomate
- 2 gousses d'ail hachées
- 5 ml (1 c. à thé) d'origan
- 5 ml (1 c. à thé) de basilic
- 5 ml (1 c. à thé) de graines de fenouil
- 1 ml (1/4 c. à thé) de piment fort, broyé
- Sel, au goût

Garniture:
- Rondelles de Veggie pizza pepperoni (Yves Veggie Cuisine), au goût
- 250 ml (1 tasse) de fleurons de brocoli (ou autres légumes)
- 250 ml (1 tasse) de champignons blancs (de Paris), en tranches
- 1 poivron (vert ou rouge), en lamelles
- De 12 à 15 olives noires, en moitiés
- 1 oignon moyen, en rondelles enrobées d'huile d'olive
- Parmesan de soya (ou régulier), au goût

Préparation:
1. Préchauffer le four à 220 °C (425 °F).
2. Dans un petit bol, mélanger la sauce tomate, l'ail et les épices.
3. Étendre la sauce sur la pâte à pizza.
4. Déposer dans l'ordre suivant: veggie pepperoni, brocoli, champignons, poivron, olives.
5. Garnir de rondelles d'oignon huilées et d'un peu de parmesan de soya.
6. Cuire au four de 15 à 20 minutes (jusqu'à ce que les oignons soient dorés).

Vous pouvez ajouter des tomates fraîches sur la pizza pendant la cuisson ou au moment de servir.

Quiche au poireau et au tofu
1 grosse quiche (10 portions)

Ingrédients:
- 1 abaisse de pâte à tarte (voir recette à la page suivante)

Garniture:
- 15 ml (1 c. à soupe) d'huile d'olive
- 2 oignons émincés
- 2 gros poireaux, en rondelles fines ou 500 ml / 2 tasses d'un autre légume au choix: brocoli, épinards…
- 325 g (11 oz / 1 paquet) de tofu régulier, nature
- 30 ml (2 c. à soupe) de substitut d'œuf
- 180 ml ($^3/_4$ tasse) de boisson de soya
- 2 ml ($^1/_2$ c. à thé) de curcuma
- 15 ml (1 c. à soupe) de levure Red Star
- 5 ml (1 c. à thé) de sel
- 2 ml ($^1/_4$ c. à thé) de poivre
- 60 ml ($^1/_4$ tasse) de parmesan de soya

Préparation:
1. Préchauffer le four à 180 °C (350 °F)
2. Faire revenir les oignons et les poireaux dans une poêle anti-adhésive, à feu moyen, environ 5 minutes.
3. Émietter le tofu à la fourchette ou, de préférence, au robot culinaire.
4. Battre le substitut d'œuf dans la boisson de soya.
5. Dans un bol, mélanger le tofu, le curcuma, la levure, le sel, le poivre, la préparation de légumes et le mélange de boisson de soya.
6. Déposer l'abaisse dans une assiette à tarte.
7. Remplir l'abaisse du mélange.
8. Garnir la quiche de parmesan de soya.
9. Cuire au four de 25 à 35 minutes.

Cette quiche est beaucoup moins grasse que la quiche régulière, qui contient l'équivalent de 7 carrés de beurre par pointe.

Pâte à tarte passe-partout

1 abaisse

Ingrédients:

- De 6 à 12 noix du Brésil (ou amandes)
- 180 ml (³/₄ tasse) de farine de blé entier à pâtisserie (ou d'autre farine)
- 60 ml (¹/₄ tasse) de germe de blé
- 5 ml (1 c. à thé) de poudre à pâte sans alun
- 5 ml (1 c. à thé) de sel (de mer gris de préférence)
- 15 ml (1 c. à soupe) de jus de citron ou de limette, ou de vinaigre de cidre artisanal
- 80 ml (¹/₃ tasse) de boisson de soya, saveur originale
- De 30 à 45 ml (2 ou 3 c. à soupe) d'huile de canola

Préparation:

1. Râper ou moudre les noix.
2. Ajouter les ingrédients secs (farine, germe de blé, poudre à pâte, sel) aux noix.
3. Verser le jus de citron dans la boisson de soya.
4. Ajouter l'huile dans le lait caillé.
5. Ajouter les ingrédients liquides aux ingrédients secs.
6. Remuer délicatement pour humecter les ingrédients secs.
7. Ajouter de l'eau froide au besoin si la pâte n'est pas assez humectée.
8. Étendre à l'aide d'un rouleau à pâtisserie sur un papier ciré saupoudré de farine.

Pour faire deux abaisses, doubler la recette.

Ragoût à la marocaine

6 portions

Ingrédients:

- De 15 à 30 ml (1 ou 2 c. à soupe) d'huile d'olive
- 4 carottes, en morceaux
- 1/2 rutabaga, en morceaux
- 3 oignons, en dés
- 125 ml ($^1/_2$ tasse) de raisins secs (ou de pruneaux dénoyautés ou d'abricots séchés)
- 3 ml ($^3/_4$ c. à thé) de curcuma
- 3 ml ($^3/_4$ c. à thé) de cannelle
- 1 ml ($^1/_4$ c. à thé) de gingembre
- Sel et poivre, au goût
- 30 ml (2 c. à soupe) de farine
- 1/2 petit chou, en gros morceaux
- 500 ml (2 tasses) de bouillon de légumes
- 540 ml (19 oz / 1 boîte) de pois chiches égouttés
- 540 ml (19 oz / 1 boîte) de tomates non égouttées, hachées

Préparation:

1. Mettre l'huile dans une grande casserole à feu moyen et y faire revenir les carottes, le rutabaga, les oignons, les raisins (ou les autres fruits séchés), le curcuma, la cannelle et le gingembre. Saler et poivrer.
2. Couvrir et cuire 10 minutes, en remuant de temps à autre.
3. Ajouter la farine et bien mélanger.
4. Ajouter le chou, le bouillon de légumes, les pois chiches et les tomates. Bien mêler. Porter à ébullition. Réduire le feu, couvrir et laisser mijoter de 35 à 45 minutes ou jusqu'à ce que les légumes soient tendres, en remuant de temps à autre.

Pour lui donner un air plus méditerranéen, servir ce ragoût sur un lit de couscous.

Risotto aux champignons
4 portions

Ingrédients:
- 375 ml (1½ tasse) de pleurotes
- Jus de ½ citron
- 1 oignon finement haché
- 30 ml (2 c. à soupe) d'huile d'olive
- 375 ml (1½ tasse) de riz arborio
- 30 ml (2 c. à soupe) de persil haché
- 180 ml (¾ de tasse) de bouillon de légumes
- 125 ml (½ tasse) de vin blanc sec
- Sel et poivre
- 45 ml (3 c. à soupe) de parmesan râpé
- 1 brin de persil, pour garnir

Préparation:
1. Dans un bol, mélanger les pleurotes avec le jus de citron.
2. Dans une cocotte, faire revenir l'oignon dans l'huile d'olive jusqu'à ce qu'il soit tendre, puis ajouter les pleurotes. Cuire à feu moyen jusqu'à ce que les champignons rendent leur jus et commencent à dorer. Incorporer le riz et cuire à feu très doux jusqu'à ce que les grains de riz soient luisants.
3. Ajouter le persil, cuire 30 secondes.
4. Verser le bouillon dans une casserole et porter à ébullition. Ajouter le vin blanc.
5. Verser une louche de bouillon sur le riz et laisser mijoter jusqu'à absorption complète. Arroser encore le riz de bouillon en remuant constamment.
6. Répéter l'opération plusieurs fois. Au bout d'une vingtaine de minutes, goûter le riz. Saler et poivrer. Le temps de cuisson total du risotto est de 20 à 35 minutes.
7. Retirer le risotto du feu. Ajouter le parmesan et bien mélanger. Laisser reposer 3 ou 4 minutes avant de servir. Garnir d'un brin de persil.

Risotto panaché

4 portions

Ingrédients:
- 1,5 l (6 tasses) de bouillon de légumes
- De 10 à 12 brins de safran
- 30 ml (2 c. à soupe) d'huile d'olive
- 2 gousses d'ail hachées
- 3 poireaux coupés en deux sur le sens de la longueur, puis en rondelles
- 4 carottes, en dés
- 250 ml (1 tasse) de riz arborio
- 60 ml (¼ tasse) de pointes d'asperges
- 60 ml (¼ tasse) de haricots verts, en petits morceaux
- 60 ml (¼ tasse) de petits pois (si surgelés, les laisser dégeler avant de les utiliser)
- 250 ml (1 tasse) de courgettes, en rondelles
- 60 ml (4 c. à soupe) de fines herbes hachées (ciboulette, aneth, persil, estragon)
- 80 ml (⅓ tasse) de parmesan de soya (ou régulier)
- Sel et poivre, au goût

Préparation:
1. Faire chauffer le bouillon, ajouter le safran et laisser infuser 10 minutes.
2. Entre-temps, chauffer l'huile dans une grande poêle et y faire revenir l'ail, les poireaux et les carottes à feu doux 10 minutes, jusqu'à ce qu'ils soient tendres.
3. Ajouter le riz aux légumes et remuer jusqu'à ce qu'il soit luisant (environ une minute). Ajouter une louche de bouillon au riz. Remuer constamment jusqu'à absorption. Incorporer le bouillon une louche à la fois jusqu'à absorption complète. Répéter cette opération 15 minutes.
4. Ajouter les asperges, les haricots, les pois et les courgettes, et continuer à remuer en ajoutant du bouillon durant 15 minutes ou plus, jusqu'à ce que le riz et les légumes soient tendres.
5. Retirer la poêle du feu; ajouter les fines herbes et le parmesan.
6. Couvrir et laisser reposer 15 minutes. Saler et poivrer au goût, puis servir.

Tarte aux tomates et au basilic

4 à 6 portions

Ingrédients:
- 300 ml (1¼ tasse) de basilic frais
- 60 ml (¼ tasse) d'huile d'olive
- 5 ml (1 c. à thé) de moutarde de Dijon
- 1 abaisse de pâte à tarte (voir recette de pâte passe-partout, page 205)
- 900 g (2 lb) de tomates italiennes, en rondelles de 5 mm (⅛ po) d'épaisseur
- 2 ml (½ c. à thé) de sel
- 2 ml (½ c. à thé) de poivre

Préparation:
1. Préchauffer le four à 180 °C (350 °F).
2. Prélever 10 feuilles de basilic; hacher finement le reste.
3. Dans un bol, mélanger le basilic haché, l'huile d'olive et la moutarde de Dijon.
4. Piquer toute la surface de la pâte avec une fourchette. Déposer la pâte dans une assiette à tarte et badigeonner du mélange à l'huile
5. Couvrir de rondelles de tomate. Saler et poivrer. Cuire au four 20 minutes. Garnir de feuilles de basilic. Servir chaud.

Tourtière au millet

1 grosse tourtière
(10 portions)

Ingrédients:
- Faire 2 abaisses (voir recette de pâte passe-partout, page 205)

Garniture:
- 300 ml (1¼ tasse) de millet (non cuit)
- 875 ml (3½ tasses) de bouillon de légumes chaud (eau chaude et 2 cubes de concentré)
- 1 feuille de laurier
- 1 clou de girofle
- 15 ml (1 c. à soupe) d'huile d'olive
- 2 carottes, en petits dés
- 1 branche de céleri, en petits dés
- 2 oignons émincés
- 1 gousse d'ail
- 1 pomme de terre, en petits dés (avec pelure)
- 15 ml (1 c. à soupe) de graines de lin moulues (ou substitut d'œuf) avec 45 ml (3 c. à soupe) d'eau
- 1 ml (¼ c. à thé) de toute-épice moulue
- 1 ml (¼ c. à thé) de graines de céleri
- 1 ml (¼ c. à thé) de persil haché
- Sel et poivre, au goût
- 30 ml (2 c. à soupe) de tamari ou de sauce soya

Préparation:
1. Préchauffer le four à 180 °C (350 °F).
2. Faire griller le millet dans une poêle anti-adhésive à feu moyen, 1 ou 2 minutes.
3. Ajouter le bouillon de légumes chaud, la feuille de laurier et le clou de girofle; cuire à couvert 30 minutes. Retirer du feu et laisser reposer jusqu'à ce que le millet ait absorbé tout le liquide.
4. Chauffer l'huile dans une casserole et y faire revenir les carottes, le céleri, les oignons, l'ail et la pomme de terre; cuire 10 minutes.

5. Mélanger dans un bol les légumes, le millet cuit, les graines de lin, le toute-épice, les graines de céleri, le persil haché, le sel, le poivre et le tamari.

6. Déposer une abaisse dans une assiette à quiche. Remplir avec le mélange de millet et couvrir d'une autre abaisse.

7. Badigeonner la surface d'un peu de boisson de soya et cuire au four 35 minutes.

Servir avec des pommes de terre, des betteraves, des légumes colorés et un ketchup aux fruits maison.

égépâté

12 portions

Ingrédients:

- 1 gros oignon râpé
- 2 pommes de terre râpées
- 1 carotte râpée
- 1 branche de céleri râpée
- 2 gousses d'ail hachées
- 125 ml ($^1/_2$ tasse) de graines de tournesol non salées, moulues
- 180 ml ($^3/_4$ tasse) de farine de blé entier
- 125 ml ($^1/_2$ tasse) de levure Red Star
- 30 ml (2 c. à soupe) d'huile d'olive ou de canola
- 30 ml (2 c. à soupe) de jus de citron
- 60 ml ($^1/_4$ tasse) de tamari
- 2 ml ($^1/_2$ c. à thé) de thym ou d'herbes de Provence
- 1 ml ($^1/_4$ c. à thé) de sauge
- 1 ml ($^1/_4$ c. à thé) de graines de céleri
- 2 ml ($^1/_2$ c. à thé) de persil en poudre ou 15 ml / 1 c. à soupe de persil frais
- 2 ml ($^1/_2$ c. à thé) de basilic en poudre ou 15 ml / 1 c. à soupe) de basilic frais
- Sel et poivre, au goût

Préparation:

1. Préchauffer le four à 180 °C (350 °F).
2. Râper les légumes à la main ou au robot culinaire.
3. Mélanger tous les ingrédients dans un bol.
4. Déposer dans un moule rectangulaire pour que le végépâté ait environ 3,5 cm (1$^1/_2$ po) d'épaisseur.
5. Couvrir de papier d'aluminium et déposer dans un bain-marie (plaque à biscuits avec un fond d'eau) dans le bas du four environ une heure. Laisser refroidir.

Le végépâté fait d'excellents sandwichs; vous pouvez le servir avec de la moutarde forte, des tomates et des germinations.

À la découverte de la cuisine végétarienne

Légumineuses

Chou et lentilles à la paysanne
6 portions

Ingrédients:
- De 15 à 30 ml (1 ou 2 c. à soupe) d'huile d'olive
- 2 gros oignons hachés
- 2 gousses d'ail hachées
- 796 ml (28 oz / 1 grosse boîte) de sauce tomate
- 375 ml (1½ tasse) d'eau
- 5 ml (1 c. à thé) de romarin (ou de basilic, de persil, de marjolaine, d'origan…)
- Sel et poivre, au goût
- 125 ml (½ tasse) de riz brun non cuit
- 540 ml (19 oz / 1 boîte) de lentilles cuites, rincées et égouttées
- 1,5 l (6 tasses) de chou émincé (ou un petit chou)

Préparation:
1. Préchauffer le four à 160 °C (325 °F).
2. Chauffer l'huile dans une poêle anti-adhésive et y faire revenir l'oignon et l'ail.
3. Ajouter la sauce tomate, l'eau et le romarin. Saler et poivrer.
4. Porter à ébullition. Ajouter le riz brun, puis réduire le feu et laisser mijoter de 15 à 20 minutes ou jusqu'à ce que le riz soit à moitié cuit.
5. Ajouter les lentilles cuites à la sauce.
6. Étendre la moitié du chou émincé dans un plat allant au four.
7. Couvrir de la moitié du mélange de sauce aux lentilles. Répéter l'opération.
8. Couvrir d'un papier d'aluminium. Cuire au four environ 1 heure ou jusqu'à ce que le chou soit tendre.

Vous obtiendrez ainsi un des plats préférés d'Anne-Marie.

Dhal indien

4 portions

Ingrédients:

- 300 ml (1¼ tasse) de lentilles rouges (ou de pois cassés jaunes)
- 750 ml (3 tasses) de bouillon de légumes
- 10 ml (2 c. à thé) de graines de moutarde noire
- 1 oignon haché finement
- 2 gousses d'ail écrasées
- 15 ml (1 c. à soupe) de gingembre frais, râpé
- 30 ml (2 c. à soupe) d'huile d'olive
- 1 grande feuille de laurier
- 5 ml (1 c. à thé) de garam masala ou de curry doux en poudre
- 5 ml (1 c. à thé) de curcuma
- 30 ml (2 c. à soupe) de coriandre fraîche

Préparation:

1. Faire cuire les lentilles ou les pois cassés dans le bouillon de légumes, environ 35 minutes.
2. Dans une poêle, faire revenir les graines de moutarde dans l'huile jusqu'à ce qu'elles se mettent à sauter, puis ajouter l'oignon, l'ail et le gingembre. Faire cuire 5 minutes, puis ajouter les épices restantes.
3. Ajouter les lentilles (et un peu d'eau si nécessaire). Couvrir et laisser frémir 15 minutes.
4. Servir le dhal chaud, garni de coriandre et accompagné de riz basmati (et d'épinards, au goût).

Lentilles aux tomates

4 portions

Ingrédients:

- 250 ml (1 tasse) de petites lentilles vertes
- 125 ml (¹/₂ tasse) de riz brun
- 30 ml (2 c. à soupe) d'herbes de Provence
- 45 ml (3 c. à soupe) de feuilles de sauge fraîches, hachées
- Sel et poivre, au goût
- 2 oignons hachés
- 2 gousses d'ail écrasées
- 45 ml (3 c. à soupe) d'huile d'olive
- 6 tomates fraîches (ou une boîte de tomates pelées)
- 125 ml (¹/₂ tasse) de basilic frais
- 125 ml (¹/₂ tasse) de parmesan de soya (si vous n'êtes pas végétalien, vous pouvez utiliser du parmesan ou du gruyère râpé)

Préparation:

1. Rincer les lentilles, puis les cuire dans 750 ml (3 tasses) d'eau bouillante, avec le riz brun.
2. Ajouter les herbes de Provence, la sauge fraîche, le sel et le poivre. Cuire jusqu'à ce que les lentilles soient tendres (environ 25 minutes).
3. Blanchir les tomates et enlever la peau.
4. Dans une casserole, faire revenir les oignons et l'ail dans l'huile d'olive et ajouter les tomates.
5. Ajouter le basilic et faire mijoter environ 30 minutes, jusqu'à ce que la sauce ait un peu épaissi.
6. Dans un plat allant au four, déposer une couche de lentilles, une couche de sauce aux tomates, et répéter l'opération en terminant par la sauce.
7. Ajouter le fromage râpé sur le dessus et faire dorer sous le gril de 5 à 10 minutes. Servir immédiatement.

Pâté chinois aux lentilles

4 portions

Ingrédients:

- 4 pommes de terre de grosseur moyenne, en purée (avec boisson de soya)
- Poivre, au goût
- 15 ml (1 c. à soupe) d'huile d'olive
- 1 gros oignon émincé
- 2 grosses gousses d'ail hachées finement
- 250 ml (1 tasse) de champignons blancs (de Paris) frais, hachés finement
- 540 ml (19 oz / 1 boîte) de lentilles cuites, rincées et égouttées OU 500 ml (2 tasses) de lentilles cuites maison
- 15 ml (1 c. à soupe) de tamari
- 4 ou 5 gouttes de Tabasco
- 1 ml ($^1/_4$ c. à thé) de thym
- 500 ml (2 tasses) de maïs en grains surgelé, dégelé
- 30 ml (2 c. à soupe) de graines de sésame grillées (facultatif)

Préparation:

1. Préchauffer le four à 175 °C (350 °F).
2. Cuire les pommes de terre et les réduire en purée avec de la boisson de soya. Poivrer, au goût.
3. Chauffer l'huile et y cuire l'oignon, l'ail et les champignons jusqu'à ce qu'ils soient tendres.
4. Incorporer les lentilles, le tamari et les assaisonnements.
5. Bien mélanger et verser dans un plat allant au four.
6. Déposer le maïs sur la préparation et couvrir de la purée de pommes de terre.
7. Décorer de graines de sésame, si désiré.
8. Cuire au four environ 30 minutes.

Poivrons farcis aux lentilles

6 portions

Ingrédients:

- De 15 à 30 ml (1 ou 2 c. à soupe) d'huile d'olive
- 1 gros oignon émincé
- 3 gousses d'ail émincées
- 540 ml (19 oz / 1 boîte) de lentilles cuites, rincées et égouttées
- 500 ml (2 tasses) de riz brun ou de quinoa cuit
- 60 ml (1/4 tasse) de raisins secs
- 2 ml (1/2 c. à thé) de basilic
- 2 ml (1/2 c. à thé) de paprika
- 1 ml (1/4 c. à thé) de thym
- 6 gros poivrons (rouges ou verts) évidés
- De 15 à 30 ml (1 ou 2 c. à soupe) de parmesan de soya ou régulier (ou de levure Red Star)
- Sel et poivre, au goût

Sauce:

- 796 ml (28 oz / 1 boîte) de sauce tomate
- 2 ml (1/2 c. à thé) de basilic
- 2 ml (1/2 c. à thé) de paprika
- 1 ml (1/4 c. à thé) de thym
- 1 pincée de sel
- Poivre, au goût

Préparation:

1. Préchauffer le four à 200 °C (400 °F).
2. Chauffer l'huile dans une poêle anti-adhésive; y faire revenir l'oignon et l'ail.
3. Dans un bol, mélanger l'oignon et l'ail cuits, les lentilles, le riz (ou le quinoa), les raisins secs et les assaisonnements.
4. Couper les poivrons en deux verticalement et les farcir du mélange aux lentilles.
5. Déposer les poivrons dans un plat.
6. Mélanger la sauce tomate et les assaisonnements.

7. Couvrir les poivrons farcis de la sauce tomate assaisonnée.
8. Saupoudrer les poivrons de parmesan de soya (ou de levure Red Star).
9. Cuire au four environ 45 minutes.
10. Tourner les poivrons à mi-cuisson afin qu'ils cuisent uniformément.

Tartinade de pois chiches (hummus)

6 portions

Ingrédients:

- 540 ml (19 oz / 1 boîte, environ 2 tasses) de pois chiches cuits, rincés et égouttés
- 30 ml (2 c. à soupe) de jus de citron (ou plus, au goût)
- 1 gousse d'ail hachée
- 30 ml (2 c. à soupe) de tahini (beurre de sésame, facultatif)
- 45 ml (3 c. à soupe) de persil frais, haché
- De 15 à 30 ml (1 ou 2 c. à soupe) d'huile d'olive (ou plus, au goût)
- Sel et poivre, au goût

Préparation:

1. Passer tous les ingrédients au robot culinaire pour en faire une belle purée très lisse.

On peut utiliser la purée de pois chiches:
- *pour tartiner sur des craquelins ou sur du pain;*
- *comme trempette avec des crudités;*
- *comme garniture à sandwich, dans un pita ou une tortilla.*

À la découverte de la cuisine végétarienne

Tofu

Bâtonnets de tofu panés

4 à 6 portions

Ingrédients:
- 454 g (1 lb) de tofu régulier extra-ferme biologique (1 paquet)
- De 30 à 45 ml (2 ou 3 c. à soupe) de tamari
- 125 ml (1/2 tasse) de levure Red Star
- 2 ml (1/2 c. à thé) d'épices à la cajun (facultatif)

Préparation:
1. Préchauffer le four à 175 °C (350 °F).
2. Couper le tofu en bâtonnets (de la taille d'une très grosse frite).
3. Verser le tamari dans un bol.
4. Dans un autre bol, mélanger la levure et les assaisonnements.
5. Tremper les bâtonnets de tofu dans le tamari, puis dans la levure assaisonnée.
6. Déposer les bâtonnets sur une plaque à pâtisserie anti-adhésive huilée.
7. Cuire 20 minutes ou jusqu'à ce que les bâtonnets soient bien dorés.

Servir comme amuse-gueule ou comme plat principal. Peut être accompagné d'une salade (de crudités) ou de légumes vapeur.

Croquettes de tofu et d'avoine

12 à 16 croquettes

Ingrédients:
- 450 g (1 paquet) de tofu extra-ferme écrasé (idéalement au robot culinaire ou à la fourchette ou à la râpe)
- 250 ml (1 tasse) de flocons d'avoine (gruau à cuisson rapide)
- 1 gros oignon haché finement (idéalement au robot culinaire)
- 60 ml (4 c. à soupe) de tamari
- 125 ml ($1/2$ tasse) de graines de tournesol moulues
- 30 ml (2 c. à soupe) de beurre de sésame (tahini)
- 15 m l (1 c. à table) de graines de lin moulues dans 60 ml (4 c. à soupe) d'eau
- Chapelure

Sauce :
- 500 ml (2 tasses) de bouillon de légumes
- 30 à 45 ml (2 à 3 c. à soupe) de fécule de maïs
- Poivre au goût

Préparation:
1. Mettre tous les ingrédients dans un bol pour en faire une belle pâte très homogène.
2. Façonner en boulettes (si désiré, les enrober de chapelure) et les faire rôtir de chaque côté dans une poêle anti-adhésive avec un peu d'huile d'olive; retirer.
3. Pour la sauce, chauffer le bouillon de légumes jusqu'à ébullition et ajouter la fécule de maïs diluée dans un peu d'eau; remuer jusqu'à ce que la sauce épaississe; poivrer légèrement.

Servir les boulettes nappées de sauce et accompagnées de vos légumes préférés et une pomme de terre au four.

Garniture de sandwich aux «œufs» (tofu)

8 portions

Ingrédients:
- 455 g (1 lb) de tofu régulier extra-ferme (1 paquet)
- 10 ml (2 c. à thé) de vinaigre de cidre artisanal
- 10 ml (2 c. à thé) de miel non pasteurisé
- 10 ml (2 c. à thé) de moutarde
- De 45 ml à 60 ml (3 ou 4 c. à soupe) de Nayonnaise (mayonnaise de soya)
- 5 ml (1 c. à thé) de curcuma
- 60 ml (¼ tasse) d'oignons ou d'échalotes finement hachés
- 60 ml (¼ tasse) de céleri finement haché
- 30 ml (2 c. à soupe) de persil frais ou de ciboulette fraîche, finement haché
- Sel et poivre, au goût

Préparation:
1. Bien écraser le tofu à la fourchette ou au robot culinaire.
2. Mélanger ensemble le vinaigre, le miel, la moutarde, la Nayonnaise et le curcuma.
3. Dans un bol, mélanger tous les ingrédients (tofu écrasé, sauce et les légumes); assaisonner de sel et de poivre.

Utilisez ce mélange dans un sandwich fait de pain de grains entiers, où vous mettrez également de la laitue et des tomates.

Pour jouer un tour à vos invités, ne leur dites pas qu'il s'agit de tofu, vous verrez leur réaction!

Lasagne aux légumes et au tofu

8 portions

Ingrédients:

- 2 ou 3 gousses d'ail hachées
- 1 gros oignon, finement haché
- De 15 à 30 ml (1 ou 2 c. à soupe) d'huile d'olive
- 1 paquet de champignons blancs (de Paris) frais, en rondelles
- 796 ml (28 oz / 1 grosse boîte) de sauce tomate
- 796 ml (28 oz / 1 grosse boîte) de tomates en dés
- 5 ml (1 c. à thé) de sel
- 5 ml (1 c. à thé) de basilic
- 1 ml (1/4 c. à thé) de piment de Cayenne
- 15 ml (1 c. à soupe) de miel non pasteurisé
- 6 pâtes à lasagne au blé entier (30,5 cm / 12 po)
- 280 g (10 oz / 1 paquet) d'épinards cuits, égouttés et hachés
- 425 g (1 paquet) de tofu régulier, râpé ou émietté
- De 45 à 60 ml (3 ou 4 c. à soupe) de parmesan de soya (ou régulier)

Préparation:

1. Préchauffer le four à 190 ºC (375 ºF)
2. Cuire l'ail et l'oignon dans l'huile.
3. Ajouter les champignons; cuire quelques minutes.
4. Ajouter la sauce tomate, les tomates en dés, le sel, le basilic, le piment de Cayenne et le miel. Laisser mijoter de 20 à 25 minutes, en remuant à l'occasion.
5. Cuire les pâtes en suivant le mode d'emploi sur l'emballage. Égoutter.
6. Dans un plat de 23 cm x 33 cm (9 po x 13 po), disposer, dans l'ordre suivant: un tiers de la sauce, 3 pâtes lasagne, la moitié des épinards et la moitié du tofu; répéter 2 fois. Couvrir du reste de sauce et garnir de parmesan de soya.
7. Cuire au four de 30 à 40 minutes.

Légumes orientaux au tofu

4 portions

Ingrédients:

- 454 g (1 lb) de tofu régulier ferme, en dés
- 125 ml (1/2 tasse) de tamari ou de sauce soya
- 30 ml (2 c. à soupe) d'huile de sésame
- 2 branches de céleri tranchées
- 1 gros oignon haché
- 1 poivron rouge, en lamelles
- 500 ml (2 tasses) de bouquets de brocoli
- 125 ml (1/2 tasse) de pois verts surgelés
- 10 ml (2 c. à thé) de gingembre frais, finement râpé
- 250 ml (1 tasse) de bouillon de légumes
- 5 ml (1 c. à thé) de miel non pasteurisé
- 15 ml (1 c. à soupe) ou plus, de fécule de maïs (diluée dans un peu d'eau)
- 30 ml (2 c. à soupe) de graines de sésame grillées

Préparation:

1. Faire mariner le tofu dans la moitié du tamari (60 ml / 4 c. à soupe) de 20 à 30 minutes; égoutter.
2. Dans une poêle anti-adhésive, faire revenir le tofu mariné avec 15 ml (1 c. à soupe) d'huile de sésame, jusqu'à ce qu'il soit bien doré.
3. Faire revenir tous les légumes et le gingembre, selon l'ordre d'apparition sur la liste d'ingrédients, dans le reste d'huile de sésame.
4. Ajouter le bouillon de légumes, l'autre moitié du tamari et le miel; épaissir avec la fécule de maïs diluée dans un peu d'eau.
5. Ajouter le tofu grillé et servir sur un nid de riz basmati brun.
6. Garnir de graines de sésame grillées.

Ragoût de boulettes de tofu

6 portions

Ingrédients:

Boulettes
- 250 ml (1 tasse) de flocons d'avoine
- 125 ml (1/2 tasse) de graines de tournesol moulues
- 180 ml (3/4 tasse) de chapelure
- 40 ml (2 1/2 c. à soupe) de germe de blé
- 1 oignon émincé
- 2 gousses d'ail écrasées
- 250 ml (1 tasse) de tofu finement émietté au robot culinaire
- 15 ml (1 c. à soupe) de graines de lin moulues
- 30 ml (2 c. à soupe) de levure alimentaire Red Star
- 15 ml (1 c. à soupe) d'huile de canola
- 30 ml (2 c. à soupe) de tamari
- 5 ml (1 c. à thé) de thym
- 5 ml (1 c. à thé) de basilic
- 5 ml (1 c. à thé) de toute-épice (appelé aussi piment de la Jamaïque)
- 5 ml (1 c. à thé) de sarriette
- 1 ml (1/4 c. à thé) de clou de girofle moulu
- 2 ml (1/2 c. à thé) de cannelle
- 125 ml (1/2 tasse) de bouillon de légumes

Sauce:
- 125 ml (1/2 tasse) de farine grillée
- 1 l (4 tasses) de bouillon de légumes
- 45 ml (3 c. à soupe) de tamari
- 2 ml (1/2 c. à thé) de sarriette
- 1 ml (1/4 c. à thé) de toute-épice
- Une pincée de clou de girofle
- Poivre, au goût

Préparation:

1. Mélanger tous les ingrédients des boulettes. Façonner en petites boules rondes (il est plus facile de faire les boulettes si l'on trempe ses mains dans l'eau avant de façonner).
2. Cuire les boulettes dans de l'huile d'olive dans une poêle anti-adhésive. Réserver.
3. Faire griller (à feu moyen) la farine dans une poêle anti-adhésive jusqu'à ce qu'elle soit dorée.
4. Chauffer les ingrédients de la sauce (sauf la farine grillée); laisser mijoter.
5. Épaissir tranquillement la sauce en la saupoudrant de farine grillée jusqu'à épaississement, au goût.
6. Réchauffer les boulettes, juste avant de servir, de 10 à 15 minutes dans la sauce brune.

Servir avec des pommes de terre, des betteraves et des légumes colorés.

Tofu et légumes cuits au wok
6 portions

Ingrédients:
- 30 ml (2 c. à soupe) d'huile de sésame
- 1 gousse d'ail émincée
- 4 échalotes, en rondelles
- 250 ml (1 tasse) de champignons frais, en rondelles
- 500 ml (2 tasses) de tofu, en dés
- 1 sac d'épinards frais, lavés, égouttés et déchiquetés
- 75 ml (5 c. à soupe) de pacanes légèrement rôties

Sauce:
- 10 ml (2 c. à thé) de fécule de maïs
- 125 ml ($^1/_2$ tasse) de bouillon de légumes
- 30 ml (2 c. à soupe) de sauce tamari
- 15 ml (1 c. à soupe) de vinaigre de vin blanc
- 15 ml (1 c. à soupe) de gingembre frais, râpé
- 15 ml (1 c. à soupe) de miso dilué dans du bouillon (facultatif)

Préparation:
1. Dans un bol, délayer la fécule de maïs dans le bouillon de légumes. Ajouter le tamari, le vinaigre de vin, le gingembre et le miso. Bien mélanger et réserver.
2. Dans un wok, faire chauffer l'huile de sésame à feu doux quelques secondes. Y faire sauter l'ail et les échalotes. Ajouter les champignons et cuire 3 ou 4 minutes en remuant.
3. Incorporer délicatement le tofu et arroser de sauce. Ajouter les épinards. Couvrir et laisser cuire jusqu'à ce que le tofu soit chaud.
4. Parsemer de pacanes et servir sur un lit de riz brun.

À la découverte de la cuisine végétarienne

Desserts

Biscuits au gruau et aux raisins secs
12 biscuits

Ingrédients:
- 15 ml (1 c. à soupe) de jus de citron ou de vinaigre de cidre artisanal
- 125 ml ($^1/_2$ tasse) de boisson de soya, saveur originale
- 30 ml (2 c. à soupe) d'huile
- 125 ml ($^1/_2$ tasse) de Sucanat, de sucre brut ou de miel non pasteurisé (au choix)
- 5 ml (1 c. à thé) de vanille
- 15 ml (1 c. à soupe) de graines de lin moulues dans 45 ml (3 c. à soupe) d'eau
- 250 ml (1 tasse) de flocons d'avoine à cuisson rapide (gruau)
- 250 ml (1 tasse) de farine de blé entier moulue sur pierre
- 2 ml ($^1/_2$ c. à thé) de bicarbonate de soude (soda à pâte)
- De 80 à 125 ml (de $^1/_3$ à $^1/_2$ tasse) de raisins secs, de dattes hachées ou de noix concassées (au choix)

Préparation:
1. Préchauffer le four à 180 °C (350 °F). Ajouter le jus de citron au lait et laisser reposer quelques minutes.
2. Dans un bol, mélanger l'huile, le Sucanat, la vanille, les graines de lin et la boisson de soya citronnée; bien mélanger.
3. Mêler ensemble les ingrédients secs. Les ajouter aux ingrédients liquides. Mélanger délicatement pour humecter.
4. Déposer par cuillerées sur une plaque légèrement huilée. Écraser à l'aide d'une fourchette mouillée. Cuire de 8 à 10 minutes.

Pour des biscuits plus sucrés, mettre davantage de fruits séchés.

Brownies au soya

12 portions

Ingrédients secs:
- 180 ml ($3/4$ tasse) de Sucanat ou de sucre brut
- 180 ml ($3/4$ tasse) de farine de blé entier
- 125 ml ($1/2$ tasse) de farine de soya
- 80 ml ($1/3$ tasse) de cacao
- 1 ml ($1/4$ c. à thé) de bicarbonate de soude (soda à pâte)
- 30 ml (2 c. à soupe) de fécule de maïs
- 60 ml ($1/4$ tasse) de noix de Grenoble

Ingrédients liquides:
- 125 ml ($1/2$ tasse) de tofu soyeux mou (marque Mori-Nu ou Sunrise)
- 130 g ($4^{1}/2$ oz) de purée de pruneaux pour bébés (1 petit pot)
- 10 ml (2 c. à thé) de vanille
- 30 ml (2 c. à soupe) de miel ou de sirop de riz brun

Sauce au chocolat:
- 250 ml (1 tasse) de cacao
- 250 ml (1 tasse) de boisson de soya
- De 125 à 180 ml (de $1/2$ à $3/4$ tasse) de miel, de Sucanat ou de sirop d'érable (au choix)

Préparation:
1. Préchauffer le four à 180 °C (350 °F)
2. Passer au robot ou au mélangeur électrique le tofu soyeux, la purée de pruneaux, la vanille, le miel et la moitié du Sucanat. Remuer jusqu'à homogénéité.
3. Tamiser ensemble les farines, le cacao, le soda et la fécule de maïs. Ajouter l'autre moitié du Sucanat et mélanger le tout.
4. Incorporer tous les ingrédients secs (sauf les noix) aux ingrédients liquides. Mélanger et ajouter les noix.
5. Déposer la préparation dans un moule anti-adhésif carré de 20 cm (8 po).
6. Cuire au four 25 minutes.

7. Pour la sauce au chocolat: déposer les ingrédients dans un chaudron et chauffer jusqu'à l'obtention de la consistance désirée.

Servir les brownies nappés de sauce au chocolat.

Mousse au chocolat

4 portions

Ingrédients:
- 255 g (9 oz / 1 paquet) de tofu soyeux ferme (marque Mori-Nu)
- 45 ml (3 c. à soupe) de poudre de cacao
- 1 banane bien mûre
- 60 ml (1/4 tasse) de sirop d'érable
- 5 ml (1 c. à thé) de vanille

Préparation:
1. Mélanger tous les ingrédients au robot culinaire jusqu'à consistance très lisse.
2. Verser dans quatre petits ramequins et réfrigérer.

Variante: vous pouvez remplacer le cacao et la banane par un casseau de fraises (ou d'autres fruits frais ou surgelés) pour faire une mousse aux fruits.

Pain à l'orange et aux abricots

12 portions

Ingrédients:

- 15 ml (1 c. à soupe) de jus de citron
- 250 ml (1 tasse) de boisson de soya, saveur originale
- 125 ml ($1/2$ tasse) de Sucanat ou de miel non pasteurisé
- 15 ml (1 c. à soupe) de graines de lin moulues dans 45 ml (3 c. à soupe) d'eau OU 15 ml (1 c. à soupe) de substitut d'œuf reconstitué avec 60 ml (1/4 tasse) d'eau
- 30 ml (2 c. à soupe) d'huile de canola
- 5 ml (1 c. à thé) de vanille
- 2 ml ($1/2$ c. à thé) d'essence d'amande
- De 125 à 250 ml (de $1/2$ à 1 tasse) d'abricots secs non sulfurisés, en morceaux
- Zeste d'une orange
- 625 ml ($2^1/2$ tasses) de farine de blé entier moulue sur pierre
- 8 ml ($1^1/2$ c. à thé) de poudre à pâte sans alun
- 5 ml (1 c. à thé) de bicarbonate de soude (soda à pâte)
- 3 ml ($1/2$ c. à thé) de sel

Préparation:

1. Préchauffer le four à 180 °C (350 °F).
2. Verser le jus de citron dans la boisson de soya; laisser reposer.
3. Mélanger tous les ingrédients liquides: boisson de soya citronnée, Sucanat, mélange graines de lin – eau, huile, vanille, essence d'amande. Ajouter les abricots et le zeste d'orange.
4. Mélanger tous les ingrédients secs: farine, poudre à pâte, bicarbonate de soude et sel.
5. Incorporer les ingrédients secs aux ingrédients liquides et remuer très délicatement, juste assez pour humecter la farine.
6. Déposer le mélange dans un moule à pain anti-adhésif légèrement huilé.
7. Cuire au four de 45 à 55 minutes.

Pain aux pommes

16 portions

Ingrédients:

- 500 ml (2 tasses) de farine de blé entier moulue sur pierre
- 5 ml (1 c. à thé) de poudre à pâte sans alun
- 2 ml ($^1/_2$ c. à thé) de bicarbonate de soude (soda à pâte)
- 5 ml (1 c. à thé) de cannelle
- 30 ml (2 c. à soupe) d'huile de canola
- 125 ml ($^1/_2$ tasse) de Sucanat ou de miel non pasteurisé
- 15 ml (1 c. à soupe) de graines de lin moulues dans 45 ml (3 c. à soupe) d'eau OU 15 ml (1 c. à soupe) de substitut d'œuf reconstitué dans 60 ml ($^1/_4$ tasse) d'eau
- 375 ml (1$^1/_2$ tasse) de pommes McIntosh non pelées, râpées
- 125 ml ($^1/_2$ tasse) de raisins secs

Préparation:

1. Préchauffer le four à 180 °C (350 °F).
2. Tamiser les ingrédients secs.
3. Mélanger ensemble l'huile, le Sucanat et le mélange graines de lin – eau.
4. Ajouter, en alternant, les ingrédients secs et les pommes râpées aux ingré-dients liquides. Mélanger juste assez pour humecter.
5. Ajouter les raisins secs.
6. Déposer dans un moule à pain légèrement graissé.
7. Cuire au four environ 1 heure.

Quelques adresses utiles

Vous trouverez dans la plupart des restaurants des plats sans viande. Voilà une belle occasion de découvrir la gastronomie libanaise, indienne, italienne... Mais si vous cherchez des restaurants exclusivement végétariens, voici quelques suggestions:

Le Commensal

L'incontournable:
1220, rue Saint-Denis, Montréal
Tél.: (514) 845-2627

Le high-tech:
1204, rue McGill, Montréal
Tél.: (514) 871-1480

L'artistique:
3715, chemin de la Reine-Marie, Montréal
Tél.: (514) 733-9755

Les autres:
4817, boul. Tashereau, Brossard
Tél.: (450) 676-1749

3180, boul. St-Martin O., Laval
Tél.: (450) 978-9124

860, boul. Saint-Jean, Québec
(418) 647-3733

655, Bay Street, Toronto
(416) 596-9364

Le café du Roi

Cuisine et épicerie végétarienne d'inspiration asiatique

966, boul. René-Lévesque Ouest
Québec
Tél.: (418) 687-0660

192, Augusta Avenue
Toronto
Tél.: (416) 591-1340

Pushap

5195, rue Paré, Montréal
Tél.: (514) 737-4527
ou 11999, boul. Gouin Ouest,
Pierrefonds
Tél.: (514) 683-0556

Govinda

263, rue Duluth Est, Montréal
Tél.: (514) 284-5255
Pour un détour par le pays de la vache sacrée

Les Délices Bio

1327A, avenue du Mont-Royal Est,
Montréal
Tél.: (514) 528-8843
Pour les purs et durs

Aux Vivres

4434, rue Saint-Dominique,
Montréal
Tél.: (514) 842-3479
Pour les nostalgiques de l'époque «granole»…

Le Spirite Lounge

1205, rue Ontario Est, Montréal
Tél.: (514) 522-5353
Pour les bio super flyés…

Le ChuChai

4088, rue Saint-Denis, Montréal
Tél.: (514) 843-4194

Ça ressemble à de la viande… mais ce n'en est pas! Pour ceux qui n'ont pas encore décroché…

Quelques magasins d'aliments naturels

On trouve de plus en plus souvent des produits naturels et des aliments biologiques dans des grandes surfaces comme Loblaw's, IGA ou Métro. Mais pour un choix plus vaste, fiez-vous aux boutiques de produits naturels. Vous en trouverez une liste complète, ainsi que celle des commerces équitables, sur le site Web d'Équiterre:

www.equiterre.qc.ca

Rachelle-Bery
Épiceries:
505, rue Rachel Est, Montréal
Tél.: (514) 524-0725

2510, rue Beaubien Est, Montréal
Tél.: (514) 727-2327

4660, boul. Saint-Laurent, Montréal
Tél.: (514) 849-4118

2005, rue Sainte-Catherine Est
Montréal
Tél.: (514) 525-2215

105-1, av. Guindon, Saint-Sauveur,
Tél.: (450) 227-3343

1639, boul de l'Avenir, Laval
Tél.: (450) 978-7557

Mission Santé Thuy

1138, rue Bernard Ouest, Montréal
Tél.: (514) 272-9386

Chez Tau

4238, rue Saint-Denis, Montréal
Tél.: (514) 843-6864

6845, boul. Taschereau, Brossard
Tél. (514) 443-9922

3188, boul. Saint-Martin O., Laval
(450) 978-5533

Optimum, aliments naturels

630, rue Sherbrooke Ouest, Montréal
Tél.: (514) 845-1015

Club Organic

4341, rue Frontenac, Montréal
Tél.: (514) 523-0223

La Grande Ruche

815, rue Short, Sherbrooke
Tél.: (819) 562-9973

Dame Nature Magog

121, rue Sherbrooke, Magog
Tél.: (819) 843-1843

Les Fours du Roy

14, rue Saint-Antoine Sud, Granby
Tél.: (450) 378-4061

Panier Santé

350, rue Saint-Jacques, plaza Granby,
Granby
Tél.: (450) 375-6446

La Boîte à Grains

581, boul. Saint-Joseph, Hull
Tél.: (819) 777-7348

Boutique Naturiste du Nord

600, rue Saint-Georges, Saint-Jérôme
Tél.: (450) 438-6666

Produits de santé L.D. Inc.

300, côte du Passage,
Galeries Chagnon, Lévis
Tél.: (418) 837-2340

Index alphabétique des recettes

245

Table des matières

Pour joindre les auteures

Les auteures sont disponibles pour des conférences.
De plus, elles accueilleront avec grand intérêt vos commentaires:

Anne-Marie Roy, nutritionniste

(450) 667-8440 ou (514) 725-2229
anne-marie.roy@videotron.ca

Patricia Tulasne

patricia.tulasne@sympatico.ca

Imprimé au Canada

en mars 2005